地形篇

曹操曰欲戰審地形以立勝也○李筌曰軍出之後必有地形變動○王晳曰地利當周知險隘支挂之形也○張預曰凡軍有所行先五十里内山川形勢使軍士伺其伏兵將乃自行視地之勢因而圖之知其險易故行師越境審地形而立勝故次行軍

孫子曰地形有通者梅堯臣曰道路交達有挂者梅堯臣曰網羅之地往必掛縷有支者梅堯臣曰相持之地有隘者梅堯臣曰兩山通谷之間有險者梅堯臣曰山川丘陵也有遠者曹操曰此六者地之形也○梅堯臣曰平陸也○杜佑曰此六地之名敎民居之得便利則勝也○張預曰地形有此六者之別也我可以往彼可以來曰通杜佑曰謂俱在平陸往來通利也○張預曰俱在平陸往來通達通形者先居高陽利糧道以戰則利曹操曰寧致人無致於人○李筌曰先之以待敵○杜牧曰通者四戰之地須先據高陽之處勿使敵人先得而我後至也利糧道者每於津阨或敵人要衝則築壘或作甬道以護之○賈林曰通利者無有岡坂亦無要害故兩通往來處高易于望候向陽視生通糧道便易轉運於此利於戰也○杜佑曰寧致人無致於人已先據高地分爲屯守於歸來之路無使敵絕己糧道也○梅堯臣曰先據高陽利糧通阨敵人來至我戰則利○王晳註同曹操○何氏同杜佑註○張預曰先處戰地以待敵則致人而不致於人我雖居高面陽坐以致敵亦慮敵人不來赴戰故須使糧餉不絕然後爲利可以往難以返曰挂杜佑曰掛者牽掛也挂形者敵無備出而勝之敵若有備出而不勝難以返不利李筌曰往不宜返曰挂○杜牧曰挂者險阻之

地與敵共有犬牙相錯動有挂礙也往攻敵敵若無備攻之必勝則雖與險阻相錯敵人已敗不得復邀我歸路矣若往攻敵人敵人有備不能勝之則為敵人守險阻邀我歸路難以返也○陳皥曰不得已陷在此則須為持久之計掠取敵人之糧以伺利便而擊之○杜佑曰敵無備出攻之勝可也有備不得勝之則難還返也○梅堯臣曰出其不意往則獲利若其有備往必受制○張預曰察知敵情果為無備一舉而勝之則可矣若其有備出而弗克欲戰則不可留欲歸則不得返非所利也

我出而不利彼出而不利曰支杜佑曰支久也俱不便久相持也○張預曰各守險固以相支持

支形者敵雖利我我無出也引而去之令敵半出而擊之利李筌曰支者兩俱不利如挂之形故各分其勢○杜牧曰支者我與敵人各守高險對壘而軍中有平地狹而且長出軍則不能成陳遇敵則自下禦上彼我之勢俱不利便如此則堂堂引去伏卒待之敵若躡我候其半出發兵擊

之則利若敵人先去以誘我我不可出也○陳皥曰此說理繁而語倒但彼此出軍地形不便敵若設利誘我而去我慎勿追之我若引去敵止則已若來襲我候其半出則急擊之○賈林曰支者隔險隘可以相要截足得相支持故不利先出也○杜佑曰利利我也佯背我去我無出逐待其引而擊之可敗也○梅堯臣曰各居所險先出必敗利而誘我我不可愛僞去引敵半出而擊○王晳曰敵不肯至則設奇伏而退且詭之令必出○張預曰利我謂佯背我去也不可出攻我捨險則反為所乘當自引去敵若來追伺其半出行列未定銳卒攻之必獲利焉李靖兵法曰彼此不利之地引而佯去待其半出而邀擊之

隘形者我先居之必盈之以待敵杜佑曰盈滿也以兵陳滿隘形欲使敵不得進退也

若敵先居之盈而勿從不盈而從之曹操曰隘形者兩山間通谷也敵勢不得撓我也我先居之必前齊隘口陳而守之以出奇也敵若先居此地齊口陳勿從也即半隘陳者從之而與敵共此利也○李筌曰盈平也敵

先守隘我去之趙不守井陘之口韓信下之陳孫不守漳水高祖下之是也○杜牧曰盈者滿也言遇兩山之間中有通谷則須當山口爲營與兩山口齊如水之在器而盈滿也○杜佑曰謂齊口亦滿也如水之滿器與口齊也若我居之平易險阻皆制在我然後出奇以制敵若敵人據隘之半不知齊口滿盈之道我則入隘以從之蓋敵亦在隘我亦在隘俱得地形勝敗在我不在地形也夫齊口盈滿之術非惟隘形獨解有口譬如平坡迴澤車馬不通舟楫不勝中有一逕亦須據其路口使敵不得進也諸可知矣○陳皡曰隘口言陳是也言營非也○賈林曰從逐也盈實也敵若實而滿之則不可逐討若虛而無備則入而討之○梅堯臣同杜牧註○王晳同曹操註○張預曰左右高山中有平谷我先至之必齊滿山口以爲陳使敵不得進也我可以出奇兵彼不能以撓我敵若先居此地盈塞隘口而陳者不可從也若雖守隘口俱不齊滿者入而從之與敵共此險阻之利吳起曰無當天竈天竈者大谷之口言不可迎隘口而居之也

險形者我先居之必居高陽以待敵杜佑曰居高陽之地以待

敵人敵人從其下陰而來擊之則勝

若敵先居之引而去之勿從也曹操曰地形險隘尤不可致於人○李筌曰若險阻之地不可後於人○杜牧曰險者山峻谷深非人力所能作爲必居高陽以待敵若敵人先據之必不可以爭則當引去陽者南面之地恐敵人持久我居陰而生疾也今若於崤澠遇敵則先據北山此乃是面陰而背陽也高陽二者止可捨陽而就高不可捨高而就陽孫子乃統而言之也○杜佑曰地險先據則不致於人也○梅堯臣曰先得險固居高就陽待敵則強敵苟先之就戰則殆引去勿疑○王晳曰此亦爭地若唐太宗先據武牢以待竇建德是也○張預曰平陸之地尚宜先據況險阸之所豈可以致於人故先處高陽以佚待勞則勝矣若敵已據此地宜速引退不可與戰裴行儉討突厥嘗際晚下營塹壘方周忽令移就崇岡將士不悅以謂不可勞衆行儉不從速令徙之是夜風雨暴至前設營所水深丈餘將吏驚服以此觀之居高陽不惟戰便亦無水潦之患也

遠形者勢均難以挑戰戰而不利曹操

曰挑戰者延敵也○李筌曰力敵而挑則利未可知也○杜牧曰壘如我與敵壘相去三十里若我來就敵壘而延敵欲戰者是我困敵鋭故戰者不利若敵來就我壘延我欲戰者是我佚敵勞敵亦不利故言勢均然則如何曰欲必戰者則移相近也○陳皡曰夫與敵營壘相遠兵力又均難以挑戰戰則不利故下文云勢均以一擊十曰走是也夫挑戰先須料我兵衆強弱可以加敵則爲之不然則不可輕進自取敗也○孟氏曰兵勢既均我遠入挑則不利也○杜佑曰挑迎敵也遠形去國遠也地勢均等無獨便利先挑之戰不利也○梅堯臣曰勢既均一挑戰則勞致敵則佚○王晳曰以遠致我勞也○張預曰營壘相遠勢力又均止可坐以致敵不宜挑人而求戰也

凡此六者地之道也將之至任不可不察也

李筌曰此地形之勢也將不知者以敗○賈林曰天生地形可以目察○梅堯臣曰夫地形者助兵立勝之本豈得不度也○張預曰六地之形將不可不知

故兵有走者有弛者有陷者有崩者有亂者有北者凡此六者非天之災將之過也

賈林曰走弛陷崩亂北皆敗壞大小變易之名也○張預曰凡此六敗各在人事

夫勢均以一擊十曰走

曹操曰不料力○李筌曰不量力也若得形便之地用奇伏之計則可矣○杜牧曰夫以一擊十之道先須敵人與我將之智謀兵之勇怯天時地利飢飽勞佚十倍相懸然後可以奮一擊十若勢均力敵不能自料以我之一擊敵之十則須奔走不能返舍復爲駐止矣○梅堯臣曰勢雖均而兵甚寡以寡擊衆必走之道也○王晳曰不待鬭而走也○張預曰勢均謂將之智勇兵之利鈍一切相敵也夫體敵勢等自不可輕戰況奮寡以擊衆能無走乎

卒強吏弱曰弛

曹操曰吏不能統故弛壞○杜牧曰言卒伍豪強將帥懦弱不能驅率故弛坼壞散也國家長慶初命田布帥魏以伐王廷湊布長在魏魏人輕易之數萬人皆乘驢行營布不能禁居數月欲合戰兵士潰散布自剄身死○賈林曰今之不從威之不服見敵則亂不壞何爲○梅堯臣

曰吏無統率者則軍政弛壞○王晳同曹操註○何氏曰言卒伍豪
強將帥懦弱不能驅領故弛圮壞散也○張預曰士卒豪悍將吏懦
弱不能統轄約束故軍政弛壞也吳楚相攻吳公子光曰楚軍多
寵政令不一帥賤而不能整無大威命楚可敗果大敗楚師也

吏強卒弱曰陷曹操曰吏強欲進卒弱輒陷敗也○李筌曰陷敗也卒弱不一則難以為戰是以強陷也○杜
牧曰言欲為攻取士卒怯弱不量其力強進之則陷沒於死地也○
陳皞曰夫人皆有血氣誰無鬬敵之心若將之刑德士之訓練則人
皆懦怯不可用也○賈林曰士卒皆羸鼓之不進吏強獨戰徒陷其
身也○梅堯臣曰吏雖強進不能激之以勇故陷於死○王晳曰為
下所陷○張預曰將吏剛勇欲戰而士卒素
乏訓練不能齊勇同奮苟用之必陷於亡敗

大吏怒而不服遇敵懟而自戰將不知其能曰崩曹操曰大吏小將也大將怒之
而不猒服忿而赴敵不量輕重則心崩壞○李筌曰將為敵所怒不
料強弱驅士卒如命者必崩壞○杜牧曰春秋時楚子伐鄭晉師救

之伍參言於楚子曰晉之從政者新未能行令其佐先縠剛愎不仁
未肯用命其三帥者專行不獲聽而無上眾無適從此行也晉師必
敗晉魏錡求公族未得而怒欲敗晉師請致師不許請使許之遂往
請戰而還趙旃求卿未得請挑戰不許召盟許之與魏錡皆命而往
郤克曰二憾往矣弗備必敗隨會曰若二子怒楚楚人乘我喪師無
日矣不如備之先縠曰不可隨會使鞏朔韓穿帥七覆於敖前故上
軍不敗而中軍下軍果敗七覆七處伏兵也敖山名也○陳皞曰此
大將無理而怒小將使之心內懷不服因緣怨怒遇敵便戰不顧能
否所以大敗也○賈林曰自上墮下曰崩大吏小將不相壓伏崩壞
之道將又不量己之能否不知卒之勇怯強與敵鬬自取賊害豈非
自上而崩乎○梅堯臣曰小將心怒而不服遇敵懟而不顧自取
崩敗者盡將不知其能也○王晳曰謂將怒不以理且不知裨佐之
才激致其兇懟如山之崩壞也○何氏曰三軍同力上下一心則勝
也○張預曰大凡百將一心三軍同力則能勝敵今小將恚怒而不
服於大將之令意欲俱敗逢敵便戰不量能否故必崩覆晉伐秦荀
偃行令是也曰雞鳴而駕唯余馬首是瞻欒書怒曰晉國之命未是

有也遂棄之歸又趙穿惡臾駢而逐秦魏錡怒晉師而棄楚**將弱不嚴教道不明吏卒無常陳兵縱橫曰亂**曹操曰為將若此亂之道也○李筌曰將或有一於此亂之道也○杜牧曰言吏卒皆不拘常度故引兵出陳或縱或橫皆自亂之也○賈林曰威令既不嚴明士卒則無常禀如此軍暴不亂何為謂將無嚴令賞罰不行之故○梅堯臣曰懦而不嚴則士無常檢教而不明則出陳縱橫不整亂之道也○王晳曰亂者不勝其敗○張預曰將弱不嚴謂將帥無威德也教道不明謂教閱無古法也吏卒無常謂將臣無久任也陳兵縱橫謂士卒無節制也為將若此自亂之道

將不能料敵以少合衆以弱擊強兵無選鋒曰北曹操曰其勢若此必走之兵也○李筌曰軍敗曰北不料敵也○杜牧曰衛公李靖兵法有戰鋒隊言揀擇敢勇之士每戰皆為先鋒司馬法曰選良次兵益人之強註曰勇猛勁捷戰不得功後戰必選於前當以激致其銳氣也東晉大將軍謝玄

北鎮廣陵時苻堅強盛玄多募勇勁劉牢之何謙諸葛侃高衡劉軌田洛孫無終等以驍猛應募玄以牢之領精銳為前鋒百戰百勝號為北府兵敵人畏之所向必克也○賈林曰兵鋒不選利鈍士卒不知勇怯如此用兵自取背道也○梅堯臣曰不能量敵情以少當衆不能選精銳以弱擊強皆奔北之理也○何氏曰夫士卒疲勇不可混同為一一則勇士不勸疲兵因有所容出而不戰自敗也故兵法曰兵無選鋒曰北昔齊以伎擊強魏以武卒奮秦以銳士勝漢有三河俠士劍客奇材兵謂之解煩齊謂之決命唐謂之跳盪是皆選鋒之別名也兵之勝術無先於此凡軍衆既具則大將勒諸營各選精銳之士須蹻健出衆武藝軼格者部為別隊大約十人選一人萬人選千人所選務寡要在必當擇腹心健將統率自大將親兵前鋒奇伏之類皆品量配之也○張預曰設若奮寡以擊衆驅弱以敵強又不選驍勇之士使為先鋒兵必敗北也凡戰必用精銳為前鋒者一則壯吾志一則挫敵威也故尉繚子曰武士不選則衆不強曹公以張遼為先鋒而敗鮮卑謝元以劉牢之領精銳而拒苻堅是也**凡此六者敗之道也**陳皥曰一

曰不量寡衆二曰本乏刑德三曰失於訓練四曰非理輿怒五曰法令不行六曰不擇驍果此名六敗也將之至任不可不察也張預曰已上六事必敗之道

夫地形者兵之助也杜牧曰夫兵之主在於仁義節制而已若得地形可以爲兵之助所以取勝也助一作易○陳皥曰天時不如地利○孟氏曰地利待人而險○賈林曰戰雖在兵得地易勝故曰兵之易也山可障水可灌高勝卑險勝平也○王晳曰兵道則在人○張預曰能審地形者兵之助耳乃末也料敵制勝者兵之本也

料敵制勝計險阨遠近上將之道也杜牧曰饋用之費人馬之力攻守之便皆在險阨遠近也言若能料此以制敵乃爲將臻極之道○王晳曰料敵窮極之情險阨遠近之利害此兵道也○何氏曰知敵知地將軍之職○張預曰既能料敵虛實強弱之情又能度地險阨遠近之形本末皆知爲將之道畢矣

知此而用戰者必勝不知此而用戰者必敗杜牧曰謂知險阨遠近也○梅堯臣曰將知地形又知軍政則勝不知則敗○張預曰既知敵情又知地利以戰則勝俱不知之以戰即敗

故戰道必勝主曰無戰必戰可也戰道不勝主曰必戰無戰可也李筌曰得戰勝之道必可戰也失戰勝之道必無戰可也立主人者發其行也○杜牧曰主者君也黃石公曰出軍行師將在自專進退內御則功難成故聖主明王跪而推轂曰閫外之事將軍裁之○孟氏曰寧違於君不逆士衆○梅堯臣曰將在軍君命有所不受○張預曰苟有必勝之道雖君命不戰可必戰也苟無必戰之道雖君命必戰可不戰也與其從令而敗事不若違制而成功故曰軍中不聞天子之詔

故進不求名退不避罪王晳曰皆忠以爲國也○何氏曰進豈求名也見利於國家士民則進也退豈避罪也見其蹙國殘民之害雖君命使進而不進罪及其身不悔也唯人是保而利合於主國之寶也

李筌曰進退皆保人非爲身也○杜牧曰進不求戰勝之名退不避
違命之罪也如此之將國家之珍寶言其少得也○陳皡曰合猶歸
也○梅堯臣曰寧違命而取勝勿順命而致敗○王晳曰戰與不戰
皆在保民利主而已矣○張預曰進退違命非爲已也皆所以保民
命而合主利此忠臣國家之寶也

視卒如嬰兒故可與之赴深谿

視卒如愛子故可與之俱死

李筌曰若撫之如此得其死力也故楚子一言
三軍之士皆如挾纊也○杜牧曰戰國時吳起爲將與士卒最下者
同衣食卧不設席行不乘騎親褁贏糧與士卒分勞苦卒有病疽吳
起吮之其卒母聞而哭之或問曰子卒也而將軍自吮疽何爲而哭
母曰往年吳公吮其父其父不旋踵而死於敵今復吮此子妾不知
其死所矣○梅堯臣曰撫而育之則親而不離愛而勗之則信而不
疑故雖死與死雖危與危○王晳曰以仁恩結人心也○何氏曰如
後漢段熲爲破羌將軍以征西羌行軍仁愛士卒傷者親自瞻省手
爲褁瘡在邊十餘年未嘗一日蓐寢與將士同苦故皆樂爲死戰也

晉王濬爲巴郡太守郡邊吳境兵士苦役生男多不舉濬乃嚴其科
條寬其徭課其産育者皆與休復所全活者數千人及後伐吳先在
巴郡之所全活者皆堪徭役供軍其父母戒之曰王府君生爾爾必
勉之無愛死也故吳子有父子之兵○張預曰將視卒如子則卒視
將如父未有父在危難而子不致死故荀卿曰臣之於君也下之於
上也如子弟之事父兄手足之捍頭目也夫美酒泛流三軍皆醉温
言一撫士同挾纊信乎以恩遇下古人所重也故兵法曰勤勞之師
將必先已暑不張蓋寒不重衣險必下歩軍井成而後飲軍食熟而
後飯軍壘成而後舍

厚而不能使愛而不能令亂而不能治譬若驕子不可用也

曹操曰恩不可專用罰不可獨任若驕子之喜怒對目還害而
不可用也○李筌曰雖厚愛人不令如驕子者有勃逆之心不可用
也○杜牧曰黄石公曰士卒可下而不可驕夫恩以養士謙以接之
故曰可下制之以法故曰不可驕陰符曰害生於恩吳起曰夫鼓鞞
金鐸所以威耳旌旗麾章所以威目禁令刑罰所以威心耳威於聲

不得不清目威於色不得不明心威於刑不得不嚴三者不立必敗於敵故曰將之所麾莫不從移將之所指莫不前死衛公李靖曰古之善爲將者必能十卒而殺其三次者十殺其一十殺其三威振於敵國十殺其一令行於三軍是知畏我者不畏敵畏敵者不畏我善無細而不賞惡無微而不貶馬謖軍敗葛亮對泣而行誅鄉人盜笠呂蒙垂涕而後斬馬逸犯禾曹公割髮而自刑兩掾辭屈黃蓋詰問而俱斬故能威克其愛雖少必濟愛加其威雖多必敗○孟氏曰唯務行恩恩勢已成刑之必怨唯務行刑刑怨已深恩之不附必使恩威相參賞罰並用然後可以爲將可以統衆也○梅堯臣曰厚養而不使愛寵而不教亂法而不治猶如驕子安得而用也○王晳曰恩不以嚴未可濟也○何氏曰言恩不可純任純任則還爲己害○張預曰恩不可以專用罰不可以獨行專用恩則卒如驕子而不能使此曹公所以割髮而自刑臥龍所以垂泣而行戮楊素所以流血盈前而言笑自若李靖所以十殺其三使畏我而不畏敵也獨行罰則士不親附而不可用此古將所以投酒楚子所以挾纊吳起所以分衣食闔閭所以同勞佚也在易之師初六曰師出以律謂齊衆以法

也九二曰師中承天寵謂勸士以賞也以此觀之王者之兵亦德刑參任而恩威並行矣尉繚子曰不愛悅其心者不我用也不嚴畏其心者不我舉也故善將者愛與畏而已

知吾卒之可以擊而不知敵之不可擊勝之半也梅堯臣曰知己而不知彼或有勝耳

知敵之可擊而不知吾卒之不可以擊勝之半也杜牧曰可擊者勇敢輕死也不可擊者頓弊怯弱也○陳皥曰此說非也可擊不可擊者所謂兵衆孰強士卒孰練賞罰孰明也○梅堯臣曰知彼而不知己或有勝耳○王晳曰知己不知彼知彼不知己皆未可以決勝也○張預曰或知己而不知彼或知彼而不知己則有勝有負也唐太宗曰吾嘗臨陳先料敵心與己之心孰審然後彼可得而知焉察敵氣與己之氣孰治然後我可得而知焉言料心審治亂察氣見強弱形也可戰與不可戰也

知敵之可擊知吾卒之可以擊而不知

地形之不可以戰勝之半也曹操李筌曰勝之半者未可知也○杜牧曰地形者險易遠近出入迂直也○梅堯臣曰知彼知己而不知地形亦或不勝○王晳曰雖知彼己可以戰然不可虧地利也○張預曰既知己而又知彼但不得地形之助亦不可全勝

故知兵者動而不迷舉而不窮杜牧曰未動未舉勝負巳定故動則不迷舉則不窮也一云動而不困舉而不頓○陳皞曰窮者困也我若識彼此之動否量地形之得失則進而不迷戰而不困者也○梅堯臣曰無所不知則動不迷闇舉不困窮也○王晳曰善計者不迷善軍者不窮○張預曰不妄動故動則不誤不輕舉故舉則不困識彼我之虛實得地形之便利而後戰也

故曰知彼知己勝乃不殆張預曰曉攻守之術則有勝而無危知天知地勝乃不窮李筌曰人事天時地利三者同知則百戰百勝○杜佑曰知地之便知天之時地之便依險阻向高陽也天之時順寒暑法刑德也既能知彼知己又按地形法天道勝乃可全又何難也○梅堯臣曰知彼利知此利故不危知天時知地形故不極○王晳同梅堯臣註○張預曰順天時得地利取勝無極

九地篇

曹操曰欲戰之地有九○李筌曰勝敵之地有九故次地形之下○王晳曰用兵之地利害有九也○張預曰用兵之地其勢有九此論地勢故次地形

孫子曰用兵之法有散地有輕地有爭地有交地有衢地有重地有圮地有圍地有死地曹操曰此九地之名也○張預曰此九地之名

諸侯自戰其地爲散地曹操曰士卒戀土道近易散○李筌曰卒恃土懷妻子急則散是爲散地也○杜牧曰士卒近家進無必死之心退有歸投之處○杜佑曰戰其境內之

地士卒意不專有潰散之心故曰散地○梅堯臣同杜牧註○王晳同曹操註○何氏曰散地士卒恃之懷戀妻子急則散走是爲散地一曰地無關鍵士卒易散走居此地者不可數戰又曰地遠四平更無要害志意不堅而易離故曰散地兵王問孫武曰散地士卒顧家不可與戰則必固守不出若敵攻我小城掠吾田野禁吾樵採塞吾要道待吾空虚而急來攻則如之何武曰敵人深入吾都多背城邑士卒以軍爲家專志輕鬭吾兵在國安土懷生以陳則不堅以鬭則不勝當集人合衆聚穀蓄帛保城備險遣輕兵絶其糧道彼挑戰不得轉輸不至野無所掠三軍困餒因而誘之可以有功若欲野戰則必因勢依險設伏無險則隱於天氣陰晦昏霧出其不意襲其懈怠可以有功○張預曰戰於境内士卒顧家是易散之地也郎人將伐楚師楚鬭廉曰郎人軍其郊必不誡恃近其城莫有鬭志果爲楚所則是也

入人之地而不深者爲輕地曹操曰士卒皆輕返也○杜牧曰師出越境必焚舟梁示民無返顧之心○李筌曰輕於退也○梅堯臣曰入敵未遠道近輕返○王晳曰初涉敵境勢輕士未有鬭志也○何氏曰輕地者輕於退也入敵境未深往返輕易不可止息將不得數動勞人兵王問孫武曰吾至輕地始入敵境士卒思還難進易退未背險阻三軍恐懼大將欲進士卒欲退上下異心敵守其城壘整其車騎或當吾前或擊吾後則如之何武曰軍至輕地士卒未專以入爲務無以戰爲故無近其名城無由其通路設疑佯惑示若將去選驍騎銜枚先入掠其牛馬六畜三軍見得進乃不懼分吾良卒密有所伏敵人若來擊之勿疑若其不至捨之而去又曰軍入敵境敵人固壘不戰士卒思歸欲退且難謂之輕地當選驍兵伏要路我退敵追來則擊之也○張預曰始入敵境士卒思還是輕返之地也尉繚子曰征役分軍而歸或臨戰自北則逃傷甚焉言民兵四集分屯占地使北來者當北道則多逃以其開之耳

我得則利彼得亦利者爲爭地曹操曰可以少勝衆弱擊強○李筌曰此阨喉守險地先居者勝是爲爭地也○杜牧曰必爭之地乃險要也前秦苻堅先遣大將呂光討西域堅敗績後光自西域還師至宜禾堅涼州刺史梁熙謀拒之高昌太守楊翰曰呂光新定西國兵強氣銳其鋒不可當

若出流沙其勢難測高梧谷口險要宜先守之而奪其水彼既困渴人自然投戈如以為遠不可守伊吾之關亦可拒之若廢此二要難為計矣地有所必爭眞此機也熙不從竟為光所滅也○陳皡曰彼我若先得其地者則可以少勝衆弱勝強也○杜佑曰謂山水阨口有險固之利兩敵所爭○梅堯臣曰無我無彼先得則利○王晳同陳皡註○何氏曰爭地便利之地先居者勝是以爭之吳王問孫武曰敵若先至據要保利簡兵練卒或出或守以備我奇則如之何武曰爭地之法先據為利敵得其處愼勿攻之引而佯走建旗鳴鼓趣其所愛曳柴揚塵惑其耳目分吾良卒密有所伏敵必出救人欲我與人棄我取此爭先之道也若我先至而敵用此術則選吾銳卒固守其所輕兵追之分伏險阻敵人還鬭伏兵旁起此全勝之道○張預曰險固之利彼我得之皆可以少勝衆弱勝強者是必爭之地也唐太宗以五千人守成皐之險坐困竇建德十萬之衆是也

我可以往彼可以來者為交地

曹操曰道正相交錯也○杜牧曰川廣地平可來可往足以交戰對壘○陳皡曰交錯是也言其道路交橫彼

我可以來往如此之地則須兵士首尾不絕切宜備之故下文云交地吾將謹其守其義可見也○杜佑曰交地有數道往來交相無可絕○梅堯臣同陳皡註○何氏曰交地平原交通也一曰可以交結不可杜絕之絕之致隙又曰交通四遠不可遏絕吳王問孫武曰交地吾將絕敵使不得來必令吾邊城修其守備深絕通路固其隘塞若不先圖之敵人已備彼可得而來吾不得而往衆寡又均則如之何武曰既我不可以往彼可以來吾分卒匿之守而易怠示其不能敵人且至設伏隱廬出其不意可以有功也○張預曰地有數道往來通達而不可阻絕者是交錯之地也

諸侯之地三屬

曹操曰我與敵相當而旁有他國也○孟氏曰若鄭界於齊楚晉是也

先至而得天下之衆者為衢地

曹操曰先至得其國助也○李筌曰對敵之傍有一國為之屬先往而通之得其衆也○杜牧曰衢地者三屬之地我須先至其衝據其形勢結其旁國也天下猶言諸侯也○梅堯臣曰彼我相當有旁國三面之會先至則得諸侯之助也○王晳曰曹公云先至得其國助晳謂先至者結

交先至也言天下者謂能廣助則天下可從○何氏曰衢地者地要衝控帶數道先據此地衆必從之故得之則安失之則危也吳王問孫武曰衢地必先若吾道遠發後雖馳車驟馬至不能先則如之何武曰諸侯參屬其道四通我與敵相當而旁有他國所謂先者必先重幣輕使約和旁國交親結恩兵雖後至衆已屬矣我有衆助彼失其黨諸國犄角震鼓齊攻敵人驚恐莫知所當○張預曰衢者四通之地我所敵者當其一面而旁有鄰國三面相連屬當往結之以爲已援先至者謂先遣使以重幣約和旁國也兵雖後至已得其國助矣

入人之地深背城邑多者爲重地

曹操曰難返之地○李筌曰堅志也白起攻楚樂毅伐齊皆爲重地○杜牧曰入人之境已深過人之城已多津梁皆爲所恃要衝皆爲所據還師返旆不可得也○杜佑曰難返還也背去也背與倍同多道里也遠去已城郭深入敵地心專意一謂之重地也○梅堯臣曰乘虛而入涉地愈深過城已多津要絶塞故曰重難之地○王晳曰兵至此者事勢重也○何氏曰重地者入敵已深國糧難應資給將士不掠何取吳王問孫武曰吾引兵深入重地多所踰越糧道絶塞設欲歸還勢不可過欲食於敵持兵不失則如之何武曰凡居重地士卒輕勇轉輸不通則掠以繼食下得粟帛皆貢於上多者有賞士卒無歸意若欲還出即爲戒備深溝高壘示敵且久敵疑通途私除要害之道乃令輕車銜枚而行以牛馬爲餌敵人若出鳴鼓隨之陰伏吾士與之中期內外相應其敗可知也○張預曰深涉敵境多過敵城士卒心專無有歸志是難退之地也司馬景王謂諸葛恪卷甲深入其鋒不可當是也

行山林險阻沮澤凡難行之道者爲圮地

曹操曰少固也○賈林曰經水所毀曰圮沮洳圮地不得久留宜速去也○梅堯臣曰水所毀圮行則猶難況戰守乎○何氏曰圮地者少固之地也不可爲城壘溝隍宜速去之吳王問孫武曰吾入圮地山川險阻難從之道行久卒勞敵在吾前而伏吾後營在吾左而守吾右良車驍騎要吾隘道則如之何武曰先進輕車去軍十里與敵相候接期險阻或分而左或分而右大將四觀擇空而取皆會中道倦而乃止○張預曰險阻漸洳之地進退艱難而無所依

所由

入者隘所從歸者迂彼寡可以擊吾之衆者為圍地

李筌曰舉動難也○杜牧曰出入艱難易設奇伏覆勝也○杜佑曰所從入阨險歸道遠也持久則糧乏故敵可以少擊吾衆者為圍地也○梅堯臣曰山川圍繞入則隘歸則迂也○何氏曰圍地入則隘險歸則迂回進退無從雖衆何用能為奇變此地可由吳王問孫武曰吾入圍地前有強敵後有險難敵絕我糧道利我走勢敵鼓譟不進以觀吾能則如之何武曰圍地之宜必塞其闕示無所往則以軍為家萬人同心三軍齊力并炊數日無見火煙故為毀亂寡弱之形敵人見我備之必輕則告勵士卒令其奮怒陳伏良卒左右險阻擊鼓而出敵人若當疾擊務突我則前鬭後拓左右犄角也又曰敵在吾圍伏而深謀示我以利縈我以旗紛紜若亂不知所之奈何武曰千人操旌分塞要道輕兵進挑陳而勿搏交而勿去此敗謀之法○張預曰前狹後險之地一人守之千人莫向則以奇伏勝

疾戰則存不疾戰則亡者為死地

曹操曰前有高山後有大水進則不得退則有礙○李筌曰阻山背水食盡利速不利緩也○杜牧曰衛公李靖曰或有進軍行師不因鄉導陷於危敗為敵所制左谷右山束馬懸車之逕前窮後絕鴈行魚貫之巖兵陳未整而強敵忽臨進無所憑退無所固求戰不得自守莫安駐則日月稽留動則首尾受敵野無水草軍乏資糧馬困人疲智窮力極一人守隘萬夫莫向如彼要害敵先據之如此之利我已失守縱有驍兵利器亦何以施其用乎若此死地疾戰則存不疾戰則亡當須上下同心併氣一力抽腸濺血一死於前因敗為功轉禍為福此乃是也○陳皡曰人在死地如坐漏船伏燒屋○賈林曰左右高山前後絕澗外來則易內出則難誤居此地速為死戰則生若待士卒氣挫糧儲又無而持久不死何待○梅堯臣曰前不得進後不得退旁不得走不得不速戰也○何氏曰死地力戰或生守隅則死吳王問孫武曰吾師出境軍於敵人之地敵人大至圍我數重欲突以出四塞不通欲勵士激衆使之投命潰圍則如之何武曰深溝高壘示為守備安靜勿動以隱吾能告令三軍示不得已殺牛燔車以饗吾士燒盡糧食填夷井竈割髮捐冠絕去生慮將無餘謀士有死志於是砥

甲礪刃并氣一力或攻兩旁震鼓疾譟敵人亦懼莫知所當銳卒分
行疾攻其後此是失道而求生故曰困而不謀者窮窮而不戰者亡
吳王曰若吾圍敵則如之何武曰山峻谷險難以踰越謂之窮寇擊
之之法伏卒隱廬開其去道示其走路求生透出必無鬬意因而擊
之雖衆必破兵法又曰若敵人在死地士卒勇氣欲擊之法順而勿
抗陰守其利必開去道以精騎分塞要路輕兵進而誘之陳而勿戰
敗謀之法也○張預曰山川險隘進退不能糧絕
於中敵臨於外當此之際勵士決戰而不可緩也
是故散地則無戰
李筌曰恐走散也○杜牧曰巳具其上○賈林曰地無
關闔卒易散走居此地者不可數戰地形之說一家之
理若號令嚴明士卒愛服死且不顧何散之有○梅堯臣曰我兵在
國安土懷生陳則不堅鬬則不勝是不可以戰也○王晳曰決於戰
則懼散○張預曰士卒懷生不可輕戰吳王問孫武曰散地不可戰
則必固守不出若敵攻我小城掠吾田野禁吾樵採塞吾要道待吾
空虛而來急攻則如之何武曰敵人深入專志輕鬬吾兵安土陳則
不堅戰則不勝當集人聚穀保城備險輕兵絕其糧道彼挑戰不得

轉輸不至野無所掠三軍困餒因而誘之可以有功若欲野戰
則必因勢依險設伏無險則隱於陰晦出其不意襲其懈怠
輕地則無止
李筌曰恐逃○杜牧曰兵法之所謂輕地者出軍行
師始入敵境未背險要士卒思還難進易退以入爲
難故曰輕地北當必選精騎密有所伏敵人卒至擊之勿疑若是不
至踰之速去○杜佑曰志未堅不可遇敵○梅堯臣曰始入敵境未
背險阻士心不專無以戰爲勿近名城勿由通路以速進爲利○王
晳曰無故不當止也○張預曰士卒輕返不可輒留吳王曰士卒思
還難進易退未背險阻三軍恐懼則如之何武曰軍在輕地士卒未
專以入爲務無以戰爲故無近其名城無由其通路設疑佯惑示若
將去乃選精騎銜枚先入掠其六畜三軍見得進乃不懼分
吾良卒密有所伏敵人若來擊之勿疑若其不至捨之而去
爭地則無攻
曹操曰不當攻當先至爲利也○李筌曰敵先居地險
不可攻○杜牧曰無攻者言敵人若巳先得其地則不
可攻也○梅堯臣曰形勝之地先據乎利敵若巳得其處則不可攻
○張預曰不當攻而爭之當後發先至也吳王曰敵若先至據要保

利簡兵練卒或出或守以備我奇則如之何武曰爭地之法讓之者得求之者失敵得其處愼勿攻之引而佯走建旗鳴鼓趣其所愛曳柴揚塵惑其耳目分吾良卒密有所伏敵必出救人欲我與人棄我取此爭先之道也若我先至而敵用此術則選吾銳卒固守其所輕兵追之分伏險阻敵人還鬭伏兵旁起此全勝之道也

交地則無絶

曹操曰相及屬也○李筌曰不可絶間也○杜牧曰川廣地平四面交戰須車騎部伍首尾聯屬不可使之斷絶恐敵人因而乘我○賈林曰可以交結不可杜絶絶之致隙○杜佑曰相及屬也俱可進退不可以兵絶之○梅堯臣曰道既錯通恐其邀截當令部伍相及不可斷也○王晳曰利糧道也交相往來之地亦謂之通地居高陽以待敵宜無絶糧道○張預曰往來交通不可以兵阻絶其路當以奇伏勝也吳王曰交地吾將絶敵使不得來必令吾邊城修其守備深絶通道固其隘塞若不先圖之敵人已備彼可得而來吾不得而往衆寡又均則如之何武曰既我不可以往彼可以來則分卒匿之守而易怠示其不能敵人且至設伏隱廬出其不意

衢地則合交

曹操曰結諸侯也○李筌曰結行也○杜牧曰諸侯即上文云旁國也○孟氏曰得交則安失交則危也○梅堯臣曰地雖四通何以得天下之助當以重幣合○王晳曰四通之境非交援不強○張預曰四通之地先交結旁國也吳王曰衢地貴先若吾道遠而發後雖馳車驟馬至不得先則如之何武曰諸侯參屬其道四通我與敵相當而旁有他國所謂先者必重幣輕使約和旁國交親結恩兵雖後至衆已屬矣簡兵練卒阻利而處我有衆助彼失其黨諸國掎角敵人莫當

重地則掠

曹操曰畜積糧食也○李筌曰深入敵境不可非義失人心也漢高祖入秦無犯婦女無取寶貨得人心如此筌以掠字爲無掠字○杜牧曰言居於重地進未有利退復不得則須運糧爲持久之計以伺敵也○孟氏曰因糧於敵也○梅堯臣曰去國既遠多背城邑糧道必絶則掠畜積以繼食○王晳曰深入敵境則掠其饒野以豐儲也難地食少則危○張預曰深入敵境餽餉不繼當勵士掠食以備其乏也吳王曰重地多逾城邑糧道絶塞設欲歸還勢不可過則如之何武曰凡居重地士卒輕勇轉輸不通則掠以繼食下得粟帛皆貢於上多者有賞若欲還出深溝高壘示敵

[illegible]

且久敵疑通途私除要害乃令輕車銜枚而行揚其塵埃餌以牛
馬敵人若出鳴鼓隨之陰伏吾士與之中期內外相應其敗可知圮
地則行曹操曰無稽留也○李筌曰不可為溝隍宜急去之○梅堯臣曰既毀圮不可依止則當速行勿稽留也○王
晳曰合聚軍眾圮無舍止○張預曰難行之地不可稽留也吳王曰山川險阻難從之道行久卒勞敵在吾前而伏吾後營在吾左而守
吾右良車驍騎要吾隘道則如之何武曰先進輕車去軍十里與敵相候接期險阻或分而左或分而右大將四觀擇空而取皆會中道
倦而乃止圍地則謀曹操曰發奇謀也○李筌曰智者不困○杜牧曰難阻之地與敵相持須用奇險詭譎之計○
杜佑曰居此當權謀詐譎可以免難○梅堯臣曰前有隘後有險歸
道又迂則發謀慮以取勝○張預曰難以力勝易以謀取也吳王曰
前有強敵後有險難敵絕我糧道利我走勢彼鼓譟不進以觀吾能
則如之何武曰圍地必塞其闕示無所往則以軍為家萬人同心三
軍齊力并炊數日無見火煙故為毀亂寡弱之形敵人見我備之必
輕則告勵士卒令其奮怒陳伏良卒左右險阻擊鼓而出敵人若當

疾擊務突則前鬬後拓左右犄角死地則戰曹操曰殊死戰也○李筌曰殊死戰不求生矣○陳皞曰陷在死地
則軍中人人自戰故曰置之死地而後生也○賈林曰力戰或生守
隅則死○梅堯臣曰前後左右無所之示必死人人自戰也○張預
曰陷在死地則人自為戰吳王曰敵人大至圍我數重欲突以出四
塞不通欲勵士激眾使之投命則如之何武曰深溝高壘安靜勿動
告令三軍示不得已殺牛燔車以饗吾士燒盡糧食填夷井竈割髮
捐冠絕去生慮砥甲礪刃并氣一力或攻兩旁震鼓疾譟敵人亦懼
莫知所當銳卒分行疾攻其後此是失道而求生故曰困而不謀者窮窮而不戰者亡所謂古之善用
兵者能使敵人前後不相及梅堯臣曰設奇衝掩眾寡不
相恃梅堯臣曰驚撓之也貴賤不相救梅堯臣曰散亂也上下不相
收梅堯臣曰倉惶也卒離而不集兵合而不齊李筌曰設變以疑之救左

則擊其右惶亂不暇計○杜牧曰多設變詐以亂敵人或衝前掩後
或驚東擊西或立偽形或張奇勢我則無形以合戰敵則必備而衆
分使其章懾離散上下驚擾不能和合不得齊集此善用兵也○孟
氏曰多設疑事出東見西攻南引北使彼狂惑散擾而集聚不得也
○梅堯臣曰或已離而不能集或雖合而不能齊○王晳曰將有優
劣則然要在於奇正相生手足相應也○張預曰出其不意掩其無
備驍兵銳卒猝然突擊彼救前則後虛應左則右隙使倉惶散亂不
知所禦將吏士卒不能相赴其卒已散而不復聚其兵雖合而不能
一合於利而動不合於利而止曹操曰暴之使離亂之使不齊動兵而戰
○李筌曰撓之令見利乃動不亂則止○梅堯臣曰然能使敵若此
當須有利則動無利則止○張預曰彼雖驚擾亦當有利則動無利
則止敢問敵衆整而將來待之若何曹操曰或問也○梅堯臣曰此設疑
以自問言敵人甚衆將又嚴整我何以待之耶○張預曰前所陳者
須兵衆相敵然後可為故或人問武曰彼兵衆於我而又整肅則以

何術待之也曰先奪其所愛則聽矣曹操曰奪其所恃之利若先據利地則我所欲
必得也○李筌曰孫子故立此問者以此為秘要也所愛謂敵所便
愛也或財帛子女吾先困辱之則敵進退皆聽也○杜牧曰據我便
地略我田野利其糧道斯三者敵人之所愛惜倚恃者也若能俱奪
之則敵人雖強進退勝敗皆須聽我也○陳皞曰愛者不止所恃利
但敵人所顧之事皆可奪也○梅堯臣曰當先奪其所顧愛則我志
得行然後使其驚撓散亂無所不至也○王晳曰先據利地以奇兵
絕其糧道則如我之謀也○張預曰武曰敵所愛者便地與糧食耳我先奪之則無不從我之計兵之情主
速乘人之不及由不虞之道攻其所不戒也
曹操曰孫子應難以覆陳兵情也○李筌曰不虞不戒破敵之速○
杜牧曰此統言兵之情狀以乘敵間隙由不虞之道攻其不戒之處
此乃兵之深情將之至事也○陳皞曰此言乘敵人有不及不虞不
戒之便則須速進不可遲疑也蓋孫子之旨言用兵貴疾速也○梅

堯臣曰兵機貴速當乘人之不備乘人之不備者行不虞之道攻不戒之所也○王晳曰兵上神速奪要尤當然也○何氏曰如蜀將孟達之降魏魏朝以達領新城太守達復連吳固蜀潛圖中國謀洩司馬宣王秉政恐達速發以書紿達以安之達得書猶與不決宣王乃潛軍進討諸將皆言達與二賊交構宜審察而後動宣王曰達無信義此其相疑之時也當及其未定往討之乃倍道兼行八日到其城下吳蜀各遣其將向西城安橋木闌塞以救達宣王分諸將拒之初達與諸葛亮書曰宛去洛八百里去吾一千一百里聞吾舉事當表上天子比相反覆一月間也則吾城已固諸軍足辦所在深險司馬公必不自來諸將來吾無患矣及兵到達又告亮曰吾舉事八日而兵至城下何其神速也上庸城三面阻水達於城下爲木柵以自固宣王渡水破其柵直造城下八道攻之旬有六日達甥鄧賢將李輔等開門出降遂斬達李靖征蕭銑集兵於夔州銑以時屬秋潦江水泛漲三峽路險必謂靖不能進遂休兵不設備九月靖乃率師而進將下峽諸將皆請停兵待水退靖曰兵貴神速機不可失今兵始集銑尚未知若乘水漲之勢倏忽至城下所謂疾雷不及掩耳此兵家上策縱彼知我倉卒徵兵無以應敵此必成擒也遂降蕭銑衛公兵法曰兵用上神戰貴其速簡練士卒申明號令曉其目以麾幟習其耳以鼓金嚴賞罰以誡之重芻豢以養之浚溝壍以防之指山川以導之召才能以任之述奇正以教之如此則雖敵人有雷電之疾而我則有所待也若兵無先備則不應卒卒不應則失於機失於機則後於事後於事則不制勝而軍覆矣故呂氏春秋云凡兵者欲急捷所以一決取勝不可久而用之矣故曰兵之情雖主速乘人之不及然敵將多謀戎卒輯睦令行禁止兵利甲堅氣銳而嚴力全而勁豈可速而犯之邪答曰若此則當卷迹藏聲蓄盈待竭避其鋒勢與其持久安可犯之哉廉頗之拒白起守而不戰宣王之抗武侯抑而不進是也○張預曰復謂或人曰用兵之理惟尚神速所貴乎速者乘人之倉卒使不及爲備也出兵於不虞之徑以掩其不戒故敵驚擾散亂而前後不相及衆寡不相待也

凡爲客之道深入則專主人不克

李筌曰夫爲客深入則志堅主人不能禦也○杜牧曰言大凡爲攻伐之道若深入敵人之境士卒有必死之志其心專一主人不能勝

[illegible]

凡今之宦遊人則[illegible]主人不克

[illegible]

我也克者勝也○梅堯臣曰爲客者入人之地深則士卒專精主人不能克我○張預曰深涉敵境士卒心專則爲主者不能勝也客在重地主在輕地故耳趙廣武君謂韓信去國遠鬬其鋒不可當是也**掠於饒野三軍足食**王晳曰饒野多稼穡**謹養而勿勞併氣積力運兵計謀爲不可測**曹操曰養士併氣運兵爲不可測度之計○李筌曰氣盛力積加之以謀慮則非敵之可測○杜牧曰斯言深入敵人之境須掠田野使我足食然後閉壁養之勿使勞苦氣全力盛一發取勝動用變化使敵人不能測我也○陳皥曰所處之野須水草便近積蓄不乏謹其來往善撫士卒王翦伐楚楚人挑戰翦不出勤於撫御并兵一力聞士卒投石爲戲知其養勇思戰然後用之一舉遂滅楚但深入敵境未見可勝之利則須爲此計○梅堯臣曰掠其富饒以足軍食息人之力并兵爲不可測之計○王晳曰謹養謂撫循飲食周謹之也并銳氣積餘力形藏謀密使敵不測俟其有可勝之隙則進之○張預曰兵在重地須掠糧於富饒之野以豐吾食乃堅壁

自守勤撫士卒勿任以勞苦令氣盛而力全常爲不可測度之計伺敵可擊則一舉而克王翦伐荆常用此術**投之無所往死且不北**李筌曰能得其力者投之無往之地○杜牧曰投之無所往謂前後進退皆無所之士以此皆求力戰雖死不北也○梅堯臣曰置在必戰之地知死而不退走○張預曰置之危地左右前後皆無所往則守戰至死而不奔北矣**死焉不得**曹操曰士死安不得也○杜牧曰言士必死安有不得勝之理○孟氏曰士死無不得也○梅堯臣曰兵焉得不用命○張預曰士卒死戰安不得志尉繚子曰一賊仗劒擊於市萬人無不避之者非一人之獨勇萬人皆不肖也必死與必生不侔也**士人盡力**曹操曰在難地心并也○梅堯臣曰士安得不竭力以赴戰○王晳曰人在死地豈不盡力○何氏曰獸困猶鬬鳥窮則啄況靈萬物者人乎○張預曰同在難地安得不共竭其力**兵士甚陷則不懼**杜牧曰陷於危險勢不獨死三軍同心故不懼也○梅堯臣同杜牧註○王晳曰陷之難地則不懼不懼則鬬志堅也○

張預曰陷在危亡之地人持必死之志豈復畏敵也**無所往則固深入則拘**曹操曰拘縛也○李筌曰固堅也○杜牧曰往走也言深入敵境走無生路則人心堅固如拘縛者也○梅堯臣曰投無所往則自然心固入深則自然志專也○張預曰動無所之人心堅固兵在重地走無所適則如拘係也**不得已則鬬**曹操曰人窮則死戰也○李筌曰決命○杜牧曰不得已者皆疑陷在死地必不生以死救死盡不得已也則人皆悉力而鬬也○梅堯臣何氏同杜牧註○張預曰勢不獲已須力鬬也**是故其兵不修而戒不求而得不約而親不令而信**曹操曰不求索其意自得力也○李筌曰投之必死不令而得其用也○杜牧曰此言兵在死地上下同志不待修整而自戒懼不待收索而自得心不待約令而自親信也○孟氏曰不求其勝而勝自得也○梅堯臣曰不修而兵自戒不索而情自得不約而衆自親不令而人自信皆所以陷於危難故三軍同心也○王晳曰謂死難之地人心自然故也○張預曰危難之地人自同力不修整而自戒慎不求索而得情意不約束而親上不號令而信命所謂同舟而濟則胡越何患乎異心也**禁祥去疑至死無所之**曹操曰禁妖祥之言去疑惑之計一本作至死無所災○李筌曰妖祥之言疑惑之事而禁之故無所災○杜牧曰黃石公曰禁巫祝不得爲吏士卜問軍之吉凶恐亂軍士之心言既去疑惑之路則士卒至死無有異志也○梅堯臣曰妖祥之事不作疑惑之言不入則軍必不亂死而後已○王晳曰災祥神異有以惑人故禁止之○張預曰欲士死戰則禁止軍吏不得言妖祥之事恐惑衆也去疑惑之計則至死無他慮司馬法曰滅厲祥此之謂也儻士卒未有必戰之心則亦有假妖祥以使衆者田單守即墨命一卒爲神每出入約束必稱神遂破燕是也**吾士無餘財非惡貨也無餘命非惡壽也**曹操曰皆燒焚財物非惡貨之多也棄財致死者不得已也○杜牧曰若有財貨恐士卒顧戀有苟生之意無必死之心也○梅堯臣曰不得已竭財貨不得已盡死戰

〇王晳曰足用而已士顧財富則媮生死戰而已士顧生路則無鬭志矣〇張預曰貨與壽人之所愛也所以燒擲財寶割棄性命者非憎惡之也不得已也令發之日士卒坐者涕霑襟偃臥者涕交頤曹操曰皆持必死之計〇李筌曰棄財與命有必死之志故割而流涕也〇杜牧曰士皆以死爲約未戰之日先令曰今日之事在此一舉若不用命身膏草野爲禽獸所食也〇梅堯臣曰決以死力發說是也〇王晳曰感勵之使然〇張預曰感激之故涕泣也未戰之日先令曰今日之事在此一舉若不用命身膏草野爲禽獸所食或曰凡行軍饗士使酒拔劒起舞作朋角抵伐鼓叫呼所以增其氣若令涕泣無乃挫其壯心乎答曰先決其死力後激其銳氣則無不勝儻無必死之心其氣雖盛何由克之若荊軻於易水士皆垂淚涕泣及復爲羽聲忼慷則皆瞋目髮上指冠是也投之無所往者諸劌之勇也李筌曰夫獸窮則搏鳥窮則啄令急迫則專諸曹劌之勇也〇杜牧曰言所投之處皆爲專諸曹劌之勇〇梅堯臣曰既令以必死則所往皆有專諸曹劌之勇〇張預曰人懷必死則所向皆有專諸曹劌之勇也專諸吳公子光使刺殺吳王僚者劌當爲沬曹沬以勇力事魯莊公嘗執匕首劫齊桓公故善用兵者譬如率然梅堯臣曰相應之容易也率然者常山之蛇也擊其首則尾至擊其尾則首至擊其中則首尾俱至梅堯臣曰蛇之爲物也不可擊擊之則率然相應〇張預曰率猶速也擊之則速然相應此喻陳法也八陳圖曰以後爲前以前爲後四頭八尾觸處爲首敵衝其中首尾俱救敢問兵可使如率然乎梅堯臣曰可使兵首尾率然相應如一體乎曰可夫吳人與越人相惡也當其同舟而濟遇風其相救也如左右手梅堯臣曰勢使之然〇張預曰吳越仇讎也同

處危難則相救如兩手況非仇讎者豈不猶率然之相應乎是故方馬埋輪未足恃也曹操曰方縛馬也埋輪示不動也此言專難不如權巧故曰雖方馬埋輪不足恃也○李筌曰投兵無所往之地人自鬭如蛇之首尾故吳越之人同舟相救雖縛馬埋輪未足恃也○杜牧曰縛馬使爲方陳埋輪使不動雖如此亦未足稱爲專固而足爲恃須任權變置士於必死之地使人自爲戰相救如兩手此乃守固必勝之道而足爲恃也○陳皥曰人之相惡莫甚吳越同舟遇風而猶相救何則勢使之然也夫用兵之道若陷在必戰之地使懷俱死之憂則首尾前後不得不相救也有吳越之惡猶如兩手相救況無吳越之惡乎蓋言貴於設變使之則勇怯之心一也○梅堯臣同杜牧註○王晳曰此謂在難地自相救耳蛇之首尾人之左右手皆喻相救之敏也同舟而濟在險難也吳越猶無異心況三軍乎故其足恃甚於方馬埋輪曹公說是也○張預曰上文歷言置兵於死地使人心專固然此未足爲善也雖置之危地亦須用權智使人令相救如左右手則勝矣故曰雖縛馬埋輪未足恃固以取勝所可必恃者要使士

卒相應如一體也齊勇若一政之道也李筌曰齊勇者將之道○杜牧曰齊正勇敢三軍如一此皆在於爲政者也○陳皥曰政令嚴明則勇者不得獨進怯者不得獨退三軍之士如一也○梅堯臣曰使人齊勇如一心而無怯者得軍政之道也○王晳同梅堯臣註○張預曰既置之危地又使之相救則三軍之衆齊力同勇如一夫是軍政得其道也剛柔皆得地之理也曹操曰強弱一勢也○李筌曰剛柔得者因地之勢也○杜牧曰強弱之勢須因地形而制之也○梅堯臣曰兵無強弱皆得用者是因地之勢也○王晳曰剛柔猶強弱也言三軍之士強弱皆得其用者地利使之然也曹公曰強弱一勢是也○張預曰得地利則柔弱之卒亦可以克敵況剛強之兵乎剛柔俱獲其用者地勢使之然也故善用兵者攜手若使一人不得已也曹操曰齊一貌也○李筌曰理衆如理寡也○杜牧曰言使三軍之士如牽一夫之手不得已皆須從我之命喻易也○賈林曰攜手翻迭之貌便於回運以前爲

後以後爲前以左爲右以右爲左故百萬之衆如一人也○梅堯臣曰用三軍如攜手使一人者勢不得已自然皆從我所揮也○王晳曰攜使左右前後率從我也○張預曰三軍雖衆如提一人之手而使之言齊一也故曰將之所揮莫不從移將之所指莫不前死

將軍之事靜以幽正以治 曹操曰謂清淨幽深平正○杜牧曰清淨簡易幽深難測平正無偏故能致治○梅堯臣曰靜而幽邃人不能測正而自治人不能撓○王晳曰靜則不撓幽則不測正則不媮治則不亂○張預曰其謀事則安靜而幽深人不能測其御下則公正而整治人不敢慢

能愚士卒之耳目使之無知 曹操曰愚誤也民可與樂成不可與慮始○李筌曰爲謀未熟不欲令士卒知之可以樂成不可與謀始是以先愚其耳目使無見知○杜牧曰言使軍士非將軍之令其他皆不知如聾如瞽也○梅堯臣曰凡軍之權謀使由之而不使知之○王晳曰杜其見聞○何氏同杜牧註○張預曰士卒懵然無所聞見但從命而已

易其事革其謀使人無識 李筌曰謀事或變而不識其原○杜牧曰所爲之事所有之謀不使知其造意之端識其所緣之本也○梅堯臣曰更其所行之事變其所爲之謀無使人能識也○王晳曰已行之事已施之謀當革易之不可再也○何氏曰將術以不窮爲奇也○張預曰前所行之事舊所發之謀皆變易之使人不可知也若裴行儉令軍士下營訖忽使移就崇岡初將吏皆不悅是夜風雨暴至前設營所水深丈餘將士驚服因問曰何以知風雨也行儉笑曰自今但依吾節制何須問我所由知也

易其居迂其途使人不得慮 李筌曰行路之便衆人不得知其情○杜牧曰易其居去安從危迂其途捨近即遠士卒有必死之心○陳皥曰將帥凡舉一事切委曲而致之無使人得計慮者○賈林曰居我要害能使自移途近於我能使迂之發機微路人不能知也○梅堯臣曰更其所安之居迂其所趨之途無使人能慮也○王晳曰處易者將致敵以求戰也迂途者示遠而密襲也○張預曰其居則去險而就易其途則捨近而從遠人初不曉其旨及勝乃服太白山人曰兵貴詭道者非止詭敵也抑詭我士

卒使由之而不使知之也帥與之期如登高而去其梯梅堯臣曰可進而不
可退也帥與之深入諸侯之地而發其機杜牧曰使無退心孟
明焚舟是也一本帥與之登高○陳皥曰發其心機○賈林曰動我機權隨事應變○梅堯臣曰發其危機使人盡命○王晳曰皆勵决
戰之志也機之發無復迴也賈詡勸曹公曰必決其機是也○張預曰去其梯可進而不可退發其機可往而不可返項羽濟河沉舟之
類也焚舟破釜若驅羣羊驅而往驅而來莫知
所之曹操曰一其心也○李筌曰還師者皆焚舟梁堅其志既不知謀又無返顧之心是以如驅羊也○杜牧曰三軍但知進
退之命不知攻取之端也○梅堯臣曰但馴然從驅莫知其他也○何氏曰士之往來唯將之令如羊之從牧者○張預曰羣羊往來牧
者之隨三軍進退惟將之揮聚三軍之衆投之於險此謂將軍

之事也曹操曰險難也○梅堯臣曰措三軍於險難而取勝者爲將之所務也○張預曰去梯發機置兵於危險以取
勝者此將軍之所務也九地之變屈伸之利人情之理不可
不察曹操曰人情見利而進見害而退○杜牧曰言屈伸之利害人情之常理皆因九地以變化今欲下文重舉九地故於此
重言發端張本也○梅堯臣曰九地之變有可屈可伸之利人情之常理須審察之○王晳曰明九地之利害亦當極其變耳言屈伸之
利者未見便則屈見便則伸言人情之理者深專淺散圍禦之謂也○張預曰九地之法不可拘泥須識變通可屈則屈可伸則伸審所
利而已此乃人情之常理不可不察凡爲客之道深則專淺則散梅堯臣曰
深則專固淺則散歸此而下重言九地者孫子勤勤於九變也○張預曰先舉兵者爲客入深則專固入淺則士散此而下言九地之變
去國越境而師者絕地也梅堯臣曰進不及輕退不及散在二地之間也○王晳曰

此越鄰國之境也是謂孤絕之地當速決其事若吳王伐齊近之兵如此者鮮故不同九地之例○張預曰去己國越人境而用師者危絕之地也若秦師過周而襲鄭是也此在九地之外而言之者戰國時間有之也**四達者衢地也**梅堯臣曰馳道四出敵當一面○張預曰敵當一面旁國四屬**入深者重地也**梅堯臣曰士卒以軍爲家故心無散亂**入淺者輕地也**梅堯臣曰歸國尚近心不能專**背固前隘者圍地也**梅堯臣曰背負險固前當阨塞○張預曰前狹後險進退受制於人也**無所往者死地也**梅堯臣曰窮無所之○張預曰左右前後窮無所之地**是故散地吾將一其志**李筌曰一卒之心○杜牧曰守則志一戰則易散○梅堯臣曰保城備險一志堅守候其虛懈出而襲之○張預曰集人聚穀一志固守依險設伏攻敵不意**輕地吾將使之屬**曹操李筌曰使相及屬○杜牧曰部伍營壘密近聯屬蓋

以輕散之地一者備其逃逸二者恐其敵至使易相救○杜佑曰使相仍也輕地還師當安道促行然令相屬續以備不虞也○梅堯臣曰行則隊校相繼止則營壘聯屬脫有敵至不有散逸也○王晳曰絕則人不相恃○張預曰密營促隊使相屬續以備不虞以防逃遁**爭地吾將趨其後**曹操曰利地在前當速進其後也○李筌曰利地必爭益其備也此筌以趨字爲多字○杜牧曰必爭之地我若已後當疾趨而爭況其不後哉○陳皥曰二說皆非也若敵據地利我後爭之不亦後據戰地而趨戰之勞乎所謂爭地必趨其後者若地利在前先分精鋭以據之彼若恃衆來爭我以大衆趨其後無不剋者趙奢所以破秦軍也○杜佑曰利地在前當進其後爭地先據者勝不得者負故從其後使相及也○梅堯臣曰敵未至其地我若在後則當疾趨以爭之○張預曰爭地貴速若前驅至而後不及則未可故當疾進其後使首尾俱至或曰趨其後謂後發先至也**交地吾將謹其守**杜牧曰嚴壁壘也○梅堯臣曰謹守壁壘斷其通道○王晳曰懼襲我也○張預曰不當阻絕其路但嚴壁固

守候其來則設伏擊之

衢地吾將固其結杜牧曰結交諸侯使之牢固○梅堯臣曰結諸侯使之堅固勿令敵先○王晳曰固以德禮威信且示以利害之計○張預曰財幣以利之盟誓以要之堅固不渝則必爲我助

重地吾將繼其食曹操曰掠彼也○李筌曰館穀於敵也繼作掠○賈林曰使糧相繼而不絕也○杜佑曰深入當繼其糧餉○梅堯臣曰道既遐絕不可歸國取糧當掠彼以食軍○張預曰兵在重地轉輸不通不可乏糧當掠彼以續食

圮地吾將進其塗曹操曰疾過去也○李筌曰不可留也○杜佑曰疾行無舍此地○梅堯臣曰無所依當速過○張預曰遇圮毀之地宜引兵速過

圍地吾將塞其闕曹操李筌曰以一士心也○杜牧曰兵法圍師必闕示以生路令無死志因而擊之今若我在圍地敵開生路以誘我卒我返自塞之令士卒有必死之心後魏末齊神武起義兵於河北爲尒朱兆天光度律仲遠等四將會於鄴南士馬精強號二十萬圍神武於南陵山時神武馬二千步軍不滿三

萬兆等設圍不合神武連繫牛驢自塞之於是將士死戰四面奮擊大破兆等四將也○孟氏曰意欲突圍示以守固○杜佑曰塞其闕不欲走之意○梅堯臣曰自塞其旁道使士卒必死戰也○王晳曰懼人有走心○張預曰吾在敵圍敵開生路當自塞之以一士心齊神武繫牛馬以塞路而士卒死戰是也

死地吾將示之以不活曹操李筌曰勵志也○杜牧曰示之必死令其自奮以求生也○賈林曰禁財棄糧堙井破竈示必死也○杜佑曰勵士也焚輜重棄糧食塞井夷竈示無生意必殊死戰也○梅堯臣曰必死可生人盡力也○王晳同梅堯臣註○何氏同杜牧註○張預曰焚輜重棄糧食塞井夷竈示以無活勵之使死戰也

故兵之情圍則禦曹操曰相持禦也○李筌曰敵圍我則禦之○杜牧曰言兵在圍地始乃人人有禦敵持勝之心相禦持也窮則同心守禦○梅堯臣同杜牧註○張預曰在圍則自然持禦**不得已**

則鬭曹操曰勢有不得已也○李筌曰有不得已則戰○梅堯臣曰勢無所往必鬭○王晳曰脫死難者唯鬭而已○張預曰

勢不可已須悉力而闘過則從曹操曰陷之甚過則從計也○李筌曰過則審躡又云陷之於過則謀從之○孟氏曰甚陷則無所不從○梅堯臣同孟氏註○張預曰深陷於危難之地則無不從計若班超在鄯善欲與麾下數十人殺虜使乃諱諭之其士卒曰今在危亡之地死生從司馬是也

是故不知諸侯之謀者不能預交不知山林險阻沮澤之形者不能行軍不用鄉導者不能得地利曹操曰上已陳此三事而復云者力惡不能用兵故復言之○李筌曰三事軍之要也○梅堯臣曰已解軍爭篇中重陳此三者蓋言敵之情狀地之利害當預知焉○王晳曰再陳者勤戒之也○張預曰知此三事然後能審九地之利害故再陳於此也

四五者不知一非霸王之兵也曹操曰謂九地之利害或曰上四五事也○張預曰四五謂九地之利害有一不知未能全勝

夫霸王之兵伐大國則其衆不得聚威加於敵則其交不得合李筌曰夫并兵震威則諸侯自顧不敢預交○杜牧曰權力有餘也能分散敵也○孟氏曰以義制人人誰敢拒○陳皡曰雖有霸王之勢伐大國則我衆不得聚要在結交外援若不如此但以威加於敵逞己之強則必敗也○梅堯臣曰伐大國能分其衆則權力有餘也權力有餘則威加敵威加敵則旁國懼旁國懼則敵交不得合也○王晳曰能知敵謀能得地利又能形之使其不相救不相恃則雖大國豈能聚衆而拒我哉威之所加者大則敵交不得合○張預曰恃富強之勢而亟伐大國則己之民衆將怨苦而不得聚也甲兵之威倍勝於敵國則諸侯懼而不敢與我合交也或曰侵伐大國若大國一敗則小國離而不聚矣若晉楚爭鄭晉勝則鄭附晉敗則鄭叛也小國既離則敵國之權力分而弱矣或我之兵威得以增勝於彼是則諸侯豈敢與敵人交合乎

是故不爭天下之交不養天下之權信音伸己

之私威加於敵故其城可拔其國可隳

曹操曰霸者不結成天下諸侯之權也絕天下之交奪天下之權故己威得伸而自私○李筌曰能絕天下之交惟得伸己之私志威而無外交者○杜牧曰信伸也言不結鄰援不蓄養機權之計但逞兵威加於敵國貴伸己之私欲若此者則其城可拔其國可隳齊桓公問於管仲曰必先頓甲兵修文德正封疆而親四鄰則可矣於是復魯衞燕所侵地而以好成四鄰大親乃南伐楚北伐山戎東制令支斬孤竹西服流沙兵車之會六乘車之會三乃率諸侯而朝天子吳夫差破越於會稽敗齊於艾陵闕溝於商魯會晉於黃池爭長而反威加諸侯諸侯不敢與爭句踐伐之乞師齊楚齊楚不應民疲兵頓爲越所滅越王句踐問戰於申包胥曰越國南則楚西則晉北則齊春秋皮幣玉帛子女以賓服焉未嘗敢絕求以報吳願以此戰包胥曰善哉蔑以加焉遂伐吳滅之○賈林曰諸侯既懼不得附聚不敢合從我之智謀威力有餘諸侯自歸何用養交之也○不養一作不事○陳皞曰智力既全威權在我但自養士卒爲不可勝之謀天下諸侯無權可事

也仁智義謀己之私有用以濟衆故曰伸私威振天下德光四海恩沾品物信及豚魚百姓歸心無思不服故攻城必拔伐國必隳也○梅堯臣曰敵既不得與諸侯合交則我亦不爭其交不養其權用己力而已爾威亦增勝於敵矣故可拔其城可隳其國此謂霸王之兵也○王晳曰結交養權則天下可從伸私損威則國城不保○張預曰不爭交援則勢孤而助寡不養權力則人離而國弱伸一己之私忿暴兵威於敵國則終取敗亡也或曰敵國衆既不得聚交又不得合則我當絕其交奪其權得伸己所欲而威倍於敵國故人城可得而拔人國可得而隳也

施無法之賞懸無政之令

賈林曰欲拔城隳國之時故懸國外之賞罰行政外之威令故不守常法常政故曰無法無政○梅堯臣曰瞻功行賞法不預設臨敵作誓政不先懸○王晳曰杜藪喻謂也○張預曰法不先施政不預告皆臨事立制以勵士心司馬法也曹公曰軍法令不預施懸之司馬法曰見敵作誓瞻功行賞此之曰見敵作誓瞻功行賞

犯三軍之衆若使一人

曹操曰犯用也言明賞罰雖用衆若

使一人也○李筌曰善用兵者爲法作攻而人不知懸事無令而人從之是以犯衆如一人也○梅堯臣曰犯用也賞罰嚴明用多若用寡也○張預曰賞功不逾時罰罪不還列賞罰之典既明且速則用衆如寡也

犯之以事勿告以言

梅堯臣曰但用以戰不告以謀○王晳曰情泄則謀乖○張預曰任用之於戰鬬勿諭之以權謀人知謀則疑也若裴行儉不告士卒以徙營之由是也

犯之以利勿告以害

曹操曰勿使知害○李筌曰犯用也卒知言與害則生疑難○梅堯臣曰用令知利不令知害○王晳曰慮疑懼也○張預曰人情見利則進知害則避故勿告以害也

投之亡地然後存陷之死地然後生

曹操曰必殊死戰在亡地無敗者孫臏曰兵恐不投之死地也○李筌曰兵居死地必決命而鬬以求生韓信水上軍則其義也○梅堯臣曰地雖曰亡力戰不亡地雖曰死死戰不死故亡者存之基死者生之本也○何氏曰如漢王遣將韓信擊趙未至井陘口三十里止舍夜半傳發選輕騎二千人人持一赤幟從間道萆山而觀趙軍誡曰趙見我走必空壁逐我汝疾入趙壁拔趙幟立漢幟令其裨將傳餐曰今日破趙會食信乃使萬人先行出背水陳趙軍遥見而大笑平旦信建大將軍之旗鼓行出井陘口趙開壁擊之大戰良久於是信走水上軍趙空壁逐信信已入水上軍軍皆殊死戰不可敗信所出奇兵二千騎馳入趙壁皆拔趙幟立漢赤幟趙軍攻信既不得還壁見漢幟大驚遂亂遁走於是漢兵夾擊大破虜趙軍斬陳餘泜水上擒趙王諸將因問信曰兵法右背山陵前左水澤今者將軍令臣等反背水陳曰破趙會食臣等不服然竟以勝此何術也信曰此在兵法顧諸君不察耳兵法不曰陷之死地而後生置之亡地而後存乎且信非得素拊循士大夫也此所謂驅市人而戰其勢非置之死地使人人自爲戰今與之生地皆走寧尚可得而用之乎諸將皆服曰非所及也梁將陳慶之守渦陽城與後魏軍相持自春至冬數十百戰師老氣衰魏之援兵復欲築壘於軍後諸將恐腹背受敵議退師慶之曰共來至此涉歷一歲糜費糧仗其數極多諸軍並無鬬心皆謀退縮豈是欲立功名直聚爲鈔暴耳吾聞置兵死地乃可求生須虜大合然後與戰必捷諸將壯其計從

之魏人犄角作十三城慶之銜枚夜出陷其四壘所餘九城兵甲猶
盛乃陳其俘馘鼓譟而攻遂大奔潰斬獲略盡後魏末齊神武與義
兵於河北時尒朱兆等四將兵馬號二十萬夾洹水而軍時神武士
馬不滿三萬以衆寡不敵遂於韓陵山爲圓陳繫牛驢以塞道於是
將士皆死戰四面奮擊大破之齊神武兵少天光等兵十倍圍而缺
之神武乃自塞其缺士皆有必死之志是以破敵也高齊北豫州刺
史司馬消難請降後周周將楊忠與柱國達奚武援之於是共率騎
士五千人各乘馬一匹從間道馳入齊境五百里前後遣三使報消
難而皆不反命去豫州三十里武疑有變欲還忠曰有進死無退生
獨以千騎夜趣城下四面峭絶徒聞擊柝之聲武親來麾數百騎以
西忠勒餘騎不動候門開而入乃馳遣召武時齊鎮城將伏敬遠勒
甲士二千人據東陴舉烽嚴警武憚之不欲保城乃多取財帛以消
難及其屬先歸忠以三千騎爲殿到洛南皆解鞍而卧齊衆來追至
於洛北忠謂將士曰但飽食今在死地賊必不敢渡水以當吾鋒食
畢齊兵佯若渡水忠馳將擊之齊兵不敢逼遂徐引而退○張預曰
置之死亡之地則人自爲戰乃可存活也項羽救趙破釜焚廬示以

必死諸侯從壁上觀楚戰士
無不一當十遂虜秦將是也

夫衆陷於害然後能爲勝敗

梅堯臣曰未陷難地則士卒心不專既陷危難然後勝敗
在人爲之爾○張預曰士卒用命則勝敗之事在我所爲

故爲兵之事在於順詳敵之意

曹操曰佯愚也或曰彼
欲進設伏而退欲去開
而擊之○李筌曰敵欲攻我以守待之敵欲戰我以奇待之退伏利
誘皆順其所欲○杜牧曰夫順敵之意蓋言我欲擊敵未見其隙則
藏形閉跡敵人之所爲順之勿驚假如強以陵我我則示怯而伏且
順其強以驕其意候其懈怠而攻之假如欲退而歸則開圍使去以
順其退使無鬬心遂因而擊之皆順敵之旨也○陳皡曰順敵之旨
不假多說但強示之弱進示之退使敵心不戒然後攻而破之必矣
○梅堯臣曰佯怯佯弱佯亂佯北敵人輕來我志乃得○張預曰彼
欲進則誘之令進彼欲退則緩之令退奉順其旨設奇伏以取之或
曰敵有所欲當順其意以驕之留爲後圖若東胡遺使謂冒頓曰欲
得頭曼千里馬冒頓與之復遣使來曰願得單于一閼氏冒頓又與

之及其驕怠而擊之遂滅東胡是也

并敵一向千里殺將曹操曰并兵向敵雖千里能擒其將也○杜牧曰上文言為兵之事在順敵人之意此乃未見敵人之隙耳若已見其隙有可攻之勢則須并兵專力以向敵人雖千里之遠亦可以殺其將也○賈林曰能以利誘敵人使一向趨之則我雖遠千里亦可擒殺其將○梅堯臣曰隨敵一向然後發伏出奇則能遠擒其將○王晳曰順敵意隨敵形及其空虛不虞并兵一力以向之乘勢可千里而覆軍殺將也○張預曰敵既驕惰則并兵力以向之可以覆其軍殺其將則明如冒頓滅東胡之事是也

此謂巧能成事者也曹操曰是成事巧者也一作是謂巧攻成事○梅堯臣曰能順敵而取勝機巧者也○何氏曰能如此者是巧攻之成事也○張預曰始順其意後殺其將成事之巧也

是故政舉之日夷關折符無通其使曹操曰謀定則閉關以絕其符信勿通其使○李筌曰政令既行閉關折符無得有所沮議恐惑衆士心也○杜牧曰其所不通豈敵人之使乎若敵人之使不受則何必夷關折符然後為不通乎答曰夷關折符者不令國人出入蓋恐敵人有間使潛來或藏形隱跡由危歷險或竊符盜信假託姓名而來窺我也無通其使者敵人若有使來聘亦不可受之恐有智能之士如張孟談婁敬之屬見其微而知著測我虛實也此乃兵形未成恐敵人先事以制我也兵形已成出境之後則使在其間古之道也○梅堯臣曰夷滅也折斷也舉政之日滅塞關梁斷毀符節使不通也使不通者恐泄我事也○張預曰廟筭已定軍謀已成則夷塞關梁毀折符信勿通使命恐泄我事也彼有使來則當納之故下文云敵之開闔必亟入之

厲於廊廟之上以誅其事曹操曰誅治也○杜牧曰厲揣厲也言廊廟之上誅治其事成敗先定然後興師一本作以謀其事○梅堯臣曰嚴整於廊廟之上以計其事言其密也○何氏曰磨厲廟勝之策以責成其事○張預曰兵者大事不可輕議當惕厲於廟堂之上密治其事貴謀不外泄也

敵人開闔必亟入之曹操曰敵有間隙當急入之也○李筌曰敵開闔未定必急來也○孟氏曰開闔間者也有間

來則疾内之○梅堯臣同孟氏註○張預曰開闔閒謂使也敵有間
來當急受之或曰謂敵人或開或闔出入無常進退未決則宜速乘
之**先其所愛**曹操曰據利便也○李筌曰先攻其積聚及妻子
利不擇其用也○杜牧曰凡是敵人所愛惜倚恃
以爲軍者則先奪之也○梅堯臣曰先察
其便利愛惜之所也○何氏同杜牧註**微與之期**曹操曰後
人發先人
至○杜牧曰微者潛也言以敵人所愛利便之處爲期將欲謀奪之
故潛往赴期不令敵人知也○陳皞曰我若先奪便地而敵不至雖
有其利亦奚用之是以欲取其愛惜之處必先微與敵人相期誤之
使必至○梅堯臣曰微露之期使閒歸告然後我後人發先人至也
後發者欲其必赴也先至者奪其所愛也○王晳曰權譎也微者所
以示密曹公曰先敵至也○張預曰兵所愛者便利之地我欲先據
當微露其意與之相期敵方趨之我乃後發而先至也所以
使敵先趨者恐我至而敵不來也故曰爭地吾將趨其後**踐墨**
隨敵以決戰事曹操曰行踐規矩無常也○李筌曰墨者出
道也出違道而從之恐不及○杜牧曰墨規

矩也言我常須踐履規矩深守法制隨敵人之形若有可乘之勢則
出而決戰也○陳皞曰兵雖要在迅速以決戰事然自始及末須守
法制縱獲勝捷亦不可爭競擾亂也城濮之戰晉文公登有莘之墟
以望其師曰少長有禮其可用也○踐墨一作剗墨○賈林曰剗除
也墨繩墨也隨敵計以決戰事惟勝是利不可守以繩墨而爲○梅
堯臣曰舉動必踐法度而隨敵屈伸因利以決戰也○王晳曰踐兵
法如繩墨然後可以順敵決勝○張預曰循守法度踐履規矩隨敵
變化形勢無常乃可以決戰取勝墨繩墨也婦人左右前後跪起皆
中規矩繩
墨是也**是故始如處女敵人開戸後如脫兎**
敵不及拒曹操李筌曰處女示弱脫兎往疾也○杜牧曰言敵
人初時謂我無所能爲如處女之弱我因急去攻之
險迅疾速如兎之脫走不可捍拒也或曰我避敵走如脫兎曰非也
○梅堯臣曰始若處女踐規矩之謂也後若脫兎應敵決戰之速也
○王晳曰處女隨敵也開戸不虞也脫兎疾也若田單守即墨而破
燕軍是也○張預曰守則如處女之弱令敵懈怠是以啓隙攻則猶

脫兎之疾乘敵倉卒是以莫禦太史公謂田單守即墨攻騎劫正如此語不其然乎

火攻篇

曹操曰以火攻人當擇時日也○王晳曰助兵取勝戒虛發也○張預曰以火攻敵當使姦細潛行地里之遠近途徑之險易先熟知之乃可往故次九地

孫子曰凡火攻有五一曰火人李筌曰焚其營殺其士卒也○杜牧曰焚其營柵因燒兵士吳起曰凡軍居荒澤草木幽穢可焚而滅蜀先主伐吳吳將陸遜拒之於夷陵先攻一營不利諸將曰空殺兵耳遜曰吾已曉破敵之術矣乃敕各持一把茅以火攻拔之一爾勢成通率諸軍同時俱攻斬張南馮習及胡王沙摩柯等破四十餘營死者萬數備因夜遁軍資器械略盡遂歐血而殂○梅堯臣曰焚營柵荒穢以助攻戰也○何氏曰魯桓公世焚邾婁之咸丘始以火攻也後世兵家者流故有五火之攻以佐取勝之道也如後漢班超使西域到鄯善初夜將吏士奔虜營會天大風超令十人持鼓藏虜舍後約曰

見火燃皆當鳴鼓大呼餘人悉持兵弩夾門而伏超順風縱火前後鼓譟虜衆驚亂超手格殺三人餘衆悉燒死又皇甫嵩率兵討黃巾賊張角嵩保長社賊來圍城嵩兵少軍中皆恐召軍吏謂曰兵有奇變不在衆寡今賊依草結營易爲風火若因夜縱火必大驚亂吾出兵擊之其功可成其夕遂大風嵩乃約勒軍士皆束苣乘城使銳士閒出圍外縱火大呼城上舉燎應之嵩因鼓而奔其陳賊驚亂奔走大破之又五代梁太祖乾寧中親領大軍由鄆州東路北次於魚山朱宣覘知即以兵徑至且圖速戰帝整軍出砦時宣瑾已陳於前須臾東南風大起帝軍旌旗失次甚有懼色帝即令騎士揚鞭呼嘯俄而西北風驟發時兩軍皆在草莽中帝因令縱火既而煙燄亘天乘勢以攻賊陳宣瑾大破餘衆擁入清河因築京觀於魚山之下又後唐伐蜀工部任圜以大軍至漢州康延孝來逆戰圜命董璋以東川懦卒當其鋒伏精兵於其後延孝擊退東川之軍急追之遇伏兵延孝敗馳入漢州閉壁不出西川孟知祥以兵二萬與圜合勢攻之漢州四面樹竹木爲柵三月圜陳于金鴈橋即率諸軍鼓譟而進四面縱火風燄亘空延孝危急引騎出陳于金鴈橋又大敗之○張預曰

焚彼營舍以殺其士火攻之先也班超燒匈奴使者是也

二曰火積李筌曰焚積聚也○杜牧曰積者積蓄也糧食薪蒭是也高祖與項羽相持成臯爲羽所敗北渡河得張耳韓信軍軍脩武深溝高壘使劉賈將二萬人騎數百渡白馬津入楚地燒其積聚以破其業楚軍乏食隋文帝時高熲獻取陳之策曰江南土薄舍多茅竹所有儲積皆非地窖可密遣行人因風縱火待彼修葺復更燒之不出數年自可財力俱盡帝行其策由是陳人益弊○梅堯臣曰焚其委積以困芻糧○張預曰焚其積聚使芻糧不足故曰軍無委積則亡劉賈燒楚積聚是也

三曰火輜四曰火庫李筌曰燒其輜重焚其庫室○杜牧曰器械財貨及軍士衣裝在車中上道未止曰輜在城營壘已有止舍曰庫其所藏二者皆同後漢末袁紹相許攸降曹公曰今袁氏輜重有萬餘兩車屯軍不嚴今以輕兵襲之不意而至焚其積聚不過三日袁氏自敗公大喜選精騎五千皆用袁氏旗幟銜枚縛馬口從間道出入抱束薪所歷道有問者語之曰袁公恐曹操抄略後軍遣兵以益備聞者信以爲然皆自若既至圍屯大放火營中驚亂因大

破之輜重悉焚之矣○陳皞曰夫敵有愛惜之物亦可以攻之彼若出救是我以火分其勢也更遇其心神撓惑自可破軍殺將也○梅堯臣曰焚其輜重以窘貨財焚其庫室以空蓄聚○何氏曰如前秦符堅遣將王猛伐前燕慕容暐師至潞川燕將慕容評率兵四十萬禦之以持久制之猛遣將郭慶率步騎五千夜從間道起火焚評山燒評輜重火見鄴中因而滅之○張預曰焚其輜重使器用不供故曰軍無輜重則亡曹操燒袁紹輜重是也焚其府庫使財貨不充故曰軍無財則士不來

五曰火隊李筌曰焚其隊仗兵器○杜牧曰焚其行伍因亂而擊之○梅堯臣曰焚其隊仗以奪兵具隊一作隧○賈林曰隧道也燒絕糧道及轉運也○何氏同賈林註○張預曰焚其隊仗使兵無戰具故曰器械不利則難以應敵也

行火必有因曹操曰因姦人○李筌曰因姦人而內應也○陳皞曰須得其便不獨姦人○賈林曰因風燥而焚之○張預曰凡火攻皆因天時燥旱營舍茅竹積芻聚糧居近草莽因風而焚之

煙火必素具曹操曰煙火燒具也○李筌曰乾荻蒿艾糧糞之屬○杜牧曰艾蒿

荻葦薪芻膏油之屬先須修事以備用兵法有火箭火簾火杏火兵火獸火禽火盜火弩凡此者皆可用也○梅堯臣曰潛姦伺隙必有
便也秉秆持燧必先備也傳曰惟事事有備乃無患也○張預曰貯火之器燃火之物常須預備伺便而發 發火有
時起火有日 梅堯臣曰不妄發也○張預曰不可偶然當伺時日 時者天之燥
也 曹操曰燥者旱也○梅堯臣曰旱燥易燎○張預曰天時旱燥則火易燃 日者月在箕壁
翼軫也凡此四宿者風起之日也 李筌曰天文志月宿此者多風
玉經云常以月加日從營室順數十五至翼月在宿於此也○杜牧曰宿者月之所宿也四宿者風之使也○梅堯臣曰箕龍尾也壁東
壁也翼軫鶉尾也宿在者謂月之所次也四宿好風月離必起○張預曰四星好風月宿則起當推步躔次知所宿之日則行火一說春
丙丁夏戊己秋壬癸冬甲乙此日有疾風猛雨又占風法取雞羽重八兩掛於五丈竿上以候風所從來四宿即箕壁翼軫也 凡

火攻必因五火之變而應之 梅堯臣曰因火為變以兵應之○張預曰因其
火變以兵應之五火即人積輜庫隊也 火發於內則早應之於外 曹操曰以兵應
之也○李筌曰乘火勢而應之也○杜牧曰凡火乃使敵人驚亂因而擊之非謂空以火敗敵人也聞火初作即攻之若火闌衆定而攻
之當無益故曰早也○杜佑曰使間人縱火於敵營內當速進以攻其外也○梅堯臣曰內若驚亂外以兵擊○張預曰火纔發於內則
兵急擊於外表裏齊攻敵易驚亂 火發兵靜者待而勿攻 杜牧曰火作不驚敵素有
備不可遽攻須待其變者也○梅堯臣曰不驚撓者必有備也○王晳曰以不變也○何氏曰火作而敵不驚呼者有備也我往攻則返
或受害○張預曰火雖發而兵不亂者敵有備也復防其變故不可攻 極其火力可從而從
之不可從而止 曹操曰見可而進知難而退○李筌曰夫火發兵不亂不可攻○杜牧曰俟火盡已來若

敵人擾亂則攻之若敵終靜不擾則收兵而退也○杜佑曰見利則進知難則退極盡也盡火力可則應不可則止無使敵知其所爲○梅堯臣曰極其火勢待其變則攻不變則勿攻○王晳曰伺其變亂則乘之終不變亂則自治而蓄力○何氏曰如魏滿寵征吳敎諸將曰今夕風甚猛賊必來燒我營宜爲之備諸軍皆警夜半果來燒營寵掩擊破之者是也○張預曰盡其火勢變亂則攻安靜則退

火可發於外無待於内以時發之李筌曰魏武破袁紹於官渡用許攸計燒輜重萬餘則其義也○杜牧曰上文云五火變須發於内若敵居荒澤草穢或營柵可焚之地即須及時發火不必更待内發作然後應之恐敵人自燒野草我起火無益漢時李陵征匈奴戰敗爲單于所逐及於大澤匈奴於上風縱火陵亦先放火燒斷蒹葭用絕火勢○陳皡曰以時發之所謂天之燥日之宿在四星也○賈林曰火可發於外不必待内應得時即應發不可拘於常勢也○梅堯臣同杜牧註○張預曰火亦可發於外不必須待作於内但有便則應時而發黃巾賊張角圍漢將皇甫嵩於長社賊依草結營嵩使銳士間出圍外縱火大呼城上舉燎應之嵩因鼓而奔其陳賊驚亂遂敗走

火發上風無攻下風曹操曰不便也○李筌曰隋江東賊劉元進攻王世充於延陵令把草東方因風縱火俄而迴風悉燒元進營軍人多死者○杜牧曰若是東則焚敵之東我亦隨以攻其東若火發東面攻其西則與敵人同受也故無攻下風則順風也若舉東可知其他也○梅堯臣曰逆火勢非便也敵必死戰○王晳曰或擊其左右可也○張預曰燒之必退退而逆擊之必死戰故不便也

晝風久夜風止曹操曰數當然也○李筌曰不終始也○杜牧曰老子曰飄風不終朝○梅堯臣曰凡晝風必夜止夜風必晝止數當然也○王晳同梅堯臣註○張預曰晝起則夜息數當然也故老子曰飄風不終朝

凡軍必知有五火之變以數守之杜牧曰須筭星躔之數守風起日乃可發火不可偶然而爲之○杜佑曰既知起五火五變當復以數消息其可否○梅堯臣曰數星之躔以候風起之日然而發火亦當自防其變○張預曰不可止知以火攻人亦當防人攻

已推四星之度數知風起之日則嚴備守之**故以火佐攻者明**梅堯臣曰明白易勝○張預曰用火助攻灼然可以取勝**以水佐攻者強**杜佑曰水以爲衝故強○梅堯臣曰勢之強也○張預曰水能分敵之軍彼勢分則我勢強**水可以絕不可以奪**曹操曰火佐者取勝明也水佐者但可以絕敵道分敵軍不可以奪敵蓄積○李筌曰軍者必守術數而佐之水火所以明強也光武之敗王莽魏武之擒呂布皆其義也以水絕敵人之軍分爲二則可難以奪敵人之蓄積○杜牧曰水可絕敵糧道絕敵救援絕敵奔逸絕敵衝擊不可以水奪險要蓄積也○王晳曰強者取其決注之暴○張預曰水止能隔絕敵軍使前後不相及取其一時之勝然不若火能焚奪敵之積聚使之滅亡若韓信決水斬楚將龍且是一時之勝也曹公焚袁紹輜重紹因以敗是使之滅亡也水不若火故詳於火而略於水**夫戰勝攻取而不修其功者凶命曰費留**曹操曰若水之留不復還也或曰賞不以時但費留也賞善不踰日也○李筌曰賞不踰日罰不踰時若功立而不賞有罪而不罰則士卒疑惑日有費也○杜牧曰修者舉也夫戰勝攻取若不藉有功舉而賞之則三軍之士必不用命也則有凶咎徒留滯費耗終不成事也○賈林曰費留惜費也○梅堯臣曰欲戰必勝攻必取者在因利乘便能作爲功也作爲功者修火攻水攻之類不可坐守其利也坐守其利者凶也是謂費留矣○王晳曰戰勝攻取而不修功賞之差則人不勸不勸則費財老師凶害也已○張預曰戰攻所以能必勝必取者水火之助也水火所以能破軍敗敵者士卒之用命也不修舉有功而賞之凶咎之道也財竭師老而不得歸費留之謂也**故曰明主慮之良將修之**杜牧曰黃石公曰夫霸者制士以權結士以信使士以賞信衰則士疏賞虧則士不爲用○賈林曰明主慮其事良將修其功○梅堯臣曰始則君發其慮終則將修其功○張預曰君當謀慮攻戰之事將當修舉克捷之功**非利不動**李筌曰明主賢將非見利不起兵○杜牧曰先見起兵之利然後兵起○梅堯臣曰凡兵非利於民不興也一作非利不

起也

非得不用

兵○賈林曰非得其利不用也杜牧曰先見敵人可得然後用

非危不戰

曹操曰不得已而用兵○李筌曰非至危不戰○梅堯臣曰凡用兵非危急不戰也所以重凶器也○張預曰兵凶器戰危事須防禍敗不可輕舉不得已而後用

主不可以怒而興師

王晳曰不可但以怒也若息侯伐鄭○張預曰因怒興師不亡者鮮若息侯與鄭伯有違言而伐鄭君子是以知息之將亡

將不可以慍而致戰

王晳曰不可但以慍也若晉趙穿○張預曰因忿而戰罕有不敗若姚襄怒苻黃眉壓壘而陳因出戰爲黃眉所敗是也怒大於慍故以主言之慍小於怒故以將言之君則可以興兵將則止可言戰

合於利而動不合於利而止

曹操曰不得以己之喜怒而用兵也○賈林曰慍怒內作不顧安危固不可也○杜佑曰人主聚衆興軍以道理勝負之計不可以己之私怒將舉兵則以策不可以慍恚之故而合戰也○梅堯臣曰兵以義動無以怒興戰以利勝無以慍敗○張預曰不可因己之喜怒而用兵當顧利害所在尉繚子曰兵起非可以忿也見勝則興不見勝則止

怒可以復喜慍可以復悅

張預曰見於色者謂之喜得於心者謂之悅

亡國不可以復存死者不可以復生

杜牧曰亡國者非能亡人之國也言不度德不量力因怒興師因慍合戰則其兵自死其國自亡者也○杜佑曰凡主怒興軍伐人無素謀明計則破亡矣將慍怒而鬬倉卒而合戰所傷殺必多怒慍復可以說喜言亡國不可復存死者不可復生者言當慎之○梅堯臣曰一時之怒可返而喜也一時之慍可返而說也國亡軍死不可復已○王晳曰喜怒無常則威信去矣○張預曰君因怒而興兵則國必亡將因慍而輕戰則士必死

故明君慎之良將警之此安國全軍之道也

杜牧曰警言戒之也○梅堯臣曰主當慎重將當警懼○張預曰君常慎於用兵則可以安國將常戒於輕戰則可以全軍

用間篇

曹操李筌曰戰者必用間諜以知敵之情實也○張預曰欲素知敵情者非間不可也然用間之道尤須微密故次火攻也

孫子曰凡興師十萬出征千里百姓之費公家之奉日費千金內外騷動怠於道路不得操事者七十萬家曹操曰古者八家爲鄰一家從軍七家奉之言十萬之師舉不事耕稼者七十萬家○李筌曰古者發一家之兵則鄰里三族共資之是以不得耕作者七十萬家而資十萬之衆矣○杜牧曰古者一夫田一頃夫九頃之地中心一頃鑿井樹廬八家居之是爲井田怠疲也言七十萬家奉十萬之師轉輸疲於道路也○梅堯臣曰輸糧供用公私煩役疲於道路廢於耒耜也曹說是也○張預曰井田之法八家爲鄰一家從軍七家奉之興兵十萬則輟耕作者七十萬家也或問曰重地則掠疲於道路而轉輸何也曰非止運糧亦供器用也且兵貴掠敵者謂深踐敵境則當備其乏故須掠以繼食非專館穀於敵也亦有磧鹵之地無糧可因得不餉乎相守數年以爭一日之勝而愛爵祿百金不知敵之情者不仁之至也李筌曰惜爵賞不與間諜令窺敵之動靜是爲不仁之至也○杜牧曰言不能以厚利使間也○梅堯臣曰相守數年則七十萬家所費多矣而乃惜爵祿百金之微不以遺間釣情取勝是不仁之極也○王晳曰悋財賞不用間也○張預曰相持且久七十萬家財力一困不知恤此而反靳惜爵賞之細不以啗間求索知敵情者不仁之甚也非人之將也梅堯臣曰非將人成功者也非主之佐也一本作非仁之佐也○梅堯臣曰非以仁佐國者也非勝之主也梅堯臣曰非致勝主利者也○張預曰不可以將人不可以佐主不可以主勝勤勤而言者嘆惜之也故明君賢將所以

動而勝人成功出於衆者先知也 李筌曰為間也○杜牧曰知敵情也○梅堯臣曰主不妄動動必勝人將不苟功功必出衆所以者何也在預知敵情也○王晳曰先知敵情制勝如神也○何氏曰周官士師掌邦諜蓋異國間伺之謂也故兵家之有四機一權曰事幾曰智權皆善用間諜者也故能敵人動靜我預知矣韋孝寬爲驃騎大將軍鎮玉壁孝寬善於撫御能得人心所遣間諜入齊者皆爲盡力亦有齊人得孝寬金貨遥通書疏故齊之動靜朝廷皆先知之時有主帥許盆孝寬委以心膂令守一戍盆乃以城東入孝寬怒遣諜取之俄而斬首而還其能致物情如此又李達爲都督義州弘農等二十一防諸軍事每厚撫境外之人使爲間諜敵中動靜必先知之至有事泄被誅戮者亦不以爲悔其得人心也如此○張預曰先知敵情故動則勝人功業卓然拔絕羣衆

先知者不可取於鬼神 張預曰視之不見聽之不聞不可以禱祀而取

不可象於事 曹操曰不可以禱祀而求亦不可以事類而求也○李筌曰不可取於鬼神象類唯間者能知敵之情○杜牧曰象者類也言不可以他事比類而求○梅堯臣曰不可以卜筮知也不可以象類求也○張預曰不可以事之相類者擬象而求

不可驗於度 曹操曰不可以事數度也○李筌曰度數也夫長短闊狹遠近小大即可驗之於度數人之情僞度不能知也○梅堯臣曰不可以度數驗也言先知之難也○張預曰不可以度數推驗而知

必取於人知敵之情者也 曹操曰因間人也○李筌曰因間人也○梅堯臣曰鬼神之情可以卜筮知形氣之物可以象類求天地之理可以度數驗唯敵之情必由間者而後知也○張預曰鬼神象類度數皆不可以求先知必因人而後知敵情也

故用間有五有因間有内間有反間有死間有生間 梅堯臣曰五間之名也○張預曰此五間之名因間當爲鄉間故下文云鄉間可得而使

五間俱起莫知其道是謂神紀人君之寶也

[illegible]

曹操曰同時任用五間也○李筌曰五間者因五人用之○杜牧曰五間俱起者敵人不知其情泄形露之道乃神鬼之綱紀人君之重寶也○梅堯臣曰五間俱起以間敵而莫知我用之道是曰神妙之綱紀人君之所貴也○王晳曰五間俱起人不之測是用兵神妙之大紀人主之重寶也○賈林曰紀理也言敵人但莫知我以何道如通神理也○張預曰五間循環而用人莫能測其理茲乃神妙之綱紀人君之重寶也

因間者因其鄉人而用之 杜牧曰因敵鄉國之人而厚撫之使為間也晉豫州刺史祖逖之鎮雍丘愛人下士雖疎交賤隸皆恩禮而遇之河上堡固先有任子在胡者皆聽兩屬時遣游軍偽抄之明其未附諸塢主感戴胡有異圖輒密以聞前後克獲蓋由於此西魏韋孝寬使齊人斬許盆而來猶其義也○賈林曰讀因間為鄉間○杜佑曰因敵鄉人知敵表裏虛實之情故就而用之可使伺候也○梅堯臣曰因其國人利而使之○何氏曰如春秋時楚師伐宋九月不服將去宋楚大夫申叔時曰築室反耕者宋必聽命楚子從之宋人懼使華元夜入楚師登子反之牀起之曰寡君使元以病告曰弊邑易子而食析骸而爨雖然城下之盟有以國斃不能從也去我三十里唯命是聽子反懼與之盟而告楚子退三十里宋及楚平○張預曰因敵國人知其底裏就而用之可使伺候也韋孝寬以金帛啗齊人而齊人遥通書疏是也

內間者因其官人而用之 李筌曰因敵人失職之官魏用許攸也○杜牧曰敵之官人有賢而失職者有過而被刑者亦有寵嬖而貪財者有屈在下位者有不得任使者有欲因敗喪以求展己之材能者有翻覆變詐常持兩端之心者如此之官皆可以潛通問遺厚貺金帛而結之因求其國中之情察其謀我之事復間其君臣使不和同也○杜佑曰因在其官失職者若刑戮之子孫與受罰之家也因其有隙就而用之○梅堯臣曰因其官屬結而用之○何氏曰如益州牧羅尚遣將隗伯攻蜀賊李雄於郫城互有勝負雄乃募武都人朴泰鞭之見血使譎羅尚欲為內應以火為期尚信之悉出精兵遣隗伯等率兵從泰擊雄雄將李驤於道設伏泰以長梯倚城而舉火伯軍見火起而爭緣梯泰又以繩汲上尚軍百餘人皆斬之雄因放兵內外擊之大破尚軍此用內間之勢也又隋陰

[illegible]

其[illegible]人[illegible]咒[illegible]

[illegible]

[illegible]四閒[illegible]四[illegible]人[illegible]咒[illegible]

[illegible]

壽爲幽州總管高寶寧舉兵反壽討之寶寧奔于磧北壽班師留開府成道昂鎮之寶寧遣其子僧伽率輕騎掠城下而去尋引契丹靺鞨之衆來攻道昂苦戰連月乃退壽患之於是重購寶寧又遣人陰間其所親任者趙世模王威等月餘世模率其衆降寶寧復走契丹爲其麾下趙修羅所殺北邊遂安又唐太宗討竇建德入武牢進薄其營多所傷殺凌敬進說曰宜悉兵濟河攻取懷州河陽使重將居守更率衆鳴鼓建旗踰太行入上黨先聲後實傳檄而定漸趨壺口稍駭蒲津收河東之地此策之上也行必有三利一則入無人之境師有萬全二則拓土得兵三則鄭圍自解建德將從之王世充之使長孫安世陰齎金玉啗其諸將以亂其謀衆咸進諫曰凌敬書生耳豈可與言戰乎建德從之退而謝敬曰今衆心甚銳此天贊我矣因此決戰必然大捷已依衆議不得從公言也敬固爭建德怒扶出焉於是悉衆進逼武牢太宗按甲挫其銳建德中槍竄於牛口渚車騎將軍白士讓楊武威生獲之又王翦爲秦將攻趙趙使李牧司馬尚禦之李牧數破走秦軍殺秦將桓齮翦惡之乃多與趙王寵臣郭開等金使爲反間曰李牧司馬尚欲與秦反趙以多取封於秦趙王疑之使趙葱及顏聚代將斬李牧廢司馬尚後三月翦因急擊趙大破殺趙葱虜趙王遷及其將顏聚也○張預曰因其失意之官或刑戮之子弟凡有隙者厚利使之晉任析公吳納子胥皆近之

反間者因其敵間而用之

李筌曰敵有間來窺我得失我厚賂之而令反爲我間也○杜牧曰敵有間來窺我我必先知之或厚賂誘之反爲我用或佯爲不覺示以僞情而縱之則敵人之間反爲我用也陳平初爲漢王護軍尉項羽圍於滎陽城漢王患之請割滎陽以西和項王弗聽平曰顧楚有可亂者彼項王骨鯁之臣亞父鍾離眛龍且周殷之屬不過數人耳大王能出捐數萬斤金行反間間其君臣以疑其心項王爲人意忌信讒必內相誅漢因舉兵而攻之破楚必矣漢王以爲然乃出黃金四萬斤與平恣所爲不問出入平既多以金縱反間於楚軍宣言諸將鍾離眛等爲項王將功多矣然終不得列地而王欲與漢爲一以滅項氏分王其地項王果疑之使使至漢漢爲太牢之具舉進見楚使即陽驚曰吾以爲亞父使乃項王使也復持去以惡草具進楚使使歸具以報項王項王果大疑亞父亞父欲急擊下滎陽城項王不信不

[illegible]

文[illegible]書[illegible]其[illegible]開[illegible]

[illegible]

肯聽亞父亞父聞項王疑之乃大怒疽發而死卒用陳平之計滅楚也○梅堯臣曰或以偽事紿之或以厚利啗之○王晳曰反間反為我間也或留之使言其情又或示以詭形而遣之○何氏曰如燕昭王以樂毅為將破齊七十餘城及惠王立與樂毅有隙齊將田單乃縱反間於燕宣言曰齊王已死城之不拔者二耳樂毅畏誅而不敢歸以伐齊為名實欲連兵南面而王齊齊人未附故且緩即墨以待其事齊人所懼唯恐他將之來即墨殘矣燕王以為然使騎劫代樂毅燕人士卒離心單又縱反間曰吾懼燕人掘吾城外冢墓戮辱先人燕軍從之即墨人激怒請戰大破燕師所亡七十餘城悉復之又秦師圍趙閼與趙將趙奢救之去趙國都三十里不進秦間來奢善食遣之間以報秦將以為奢師怯弱而止不行奢隨而卷甲趨秦師擊破之又范雎為秦昭王相使左庶長王齕攻韓取上黨上黨民走趙趙軍長平齕因攻趙趙使廉頗將廉頗堅壁以待秦秦數挑戰趙兵不出趙王數以為讓而雎使人行千金於趙為反間曰秦之所惡獨畏趙括耳廉頗軍易與且降矣趙王既怒廉頗軍多亡失數敗又反堅壁不戰又聞秦反間之言因使括代頗秦聞括將以白起為上將軍射殺括及坑降卒四十萬○張預曰敵有間來或重賂厚禮以結之告以偽辭或佯為不知跡而慢之示以虛事使之歸報則反為我利也趙奢善食秦間漢軍佯驚楚使是也

死間者為誑事於外令吾間知之而傳於敵間也

李筌曰情詐為不足信吾知之令吾動也間而待之此筌以待字為非傳也○杜牧曰誑者詐也言吾間在敵未知事情我則詐立事跡令吾間憑其詐迹以輸誠於敵而得敵信也若我進取與詐跡不同間者不能脫則為敵所殺故曰死間也漢王使酈生說齊下之齊罷守備韓信因而襲之田橫怒烹酈生此事相近○杜佑曰作誑詐之事於外佯漏泄之使吾間知之吾間至敵中必為敵所得必以誑事諭敵敵從而備之吾所行不然間則死矣又云敵間來聞我誑事以持歸然皆非所圖也二間皆不能知幽隱深密故曰死間也蕭世誠曰所獲敵人及已叛亡軍士有重罪繫者故為貸免相勅勿泄佯不祕密令敵間竊聞之吾因縱之使亡亡必歸敵必信焉往必死故曰死間○梅堯臣曰以誑告敵事乖必殺○王晳曰詐吾間使敵得之間以吾

[illegible]

詐告敵事決必殺之也○何氏曰如戰國鄭武公欲伐胡先以其子妻胡因問羣臣曰吾欲用兵誰可伐者大夫關思期曰胡可武公怒而戮之曰胡兄弟之國子言伐之何也胡君聞之以鄭爲親已不備鄭襲而取之此用死間之勢也又班超發于闐諸國兵擊莎車龜兹二國揚言兵少不敵罷散乃陰緩生口歸以告龜兹王喜而不虞超即潛勒兵馳赴莎車大破降之斯亦同死間之勢又李靖伐突厥頡利可汗以唐儉先在突厥結和親突厥不備靖因掩擊破之○張預曰欲使敵人殺其賢能乃令死士持虛僞以赴之吾間至敵爲彼所得彼以誑事爲實必俱殺之我朝曹太尉嘗貸人死使僞爲僧吞蠟彈入西夏至則爲其所囚僧以彈告即下之開讀乃所遺彼謀臣書也我主怒誅其臣并殺間僧此其義也然死間之事非一或使吾間詒敵約和我反伐之則間者立死酈生烹於齊王唐儉殺於突厥是也

生間者反報也

李筌曰往來之使○杜牧曰往來相通報也生間者必取內明外愚形劣心壯趫捷勁勇閑於鄙事能忍飢寒垢耻者爲之○賈林曰身則公行心乃私覘往反報復常無所害故曰生間○杜佑曰擇已有賢材智謀能自開通於敵之親貴察其動靜知其事計彼所爲已知其實還以報我故曰生間○梅堯臣曰使智辨者往覘其情而以歸報也○何氏曰如華元登子反之牀而歸又如隋達奚武爲東秦刺史時齊神武趣沙苑太祖遣武覘之武從三騎皆衣敵人衣服至日暮去營數百步下馬潛聽得其軍號因上馬歷營若警夜者有不如法者往往撻之具知敵之情狀以告太祖太祖深嘉焉遂破之○張預曰選智能之士往視敵情歸以報我若婁敬知匈奴之強以告高祖之類然生間之事亦衆或已欲退告敵以戰或已欲戰告敵以退若秦行人夜戒晉師曰來日請相見叟駢曰使者目動而言肆懼我也秦果夜遁又呂延攻乞伏乾歸大敗之乾歸乃遣間稱東奔成紀延信而追之耿稚曰告者視高而色動必有姦計延不從遂爲所敗是也

故三軍之事莫親於間

杜牧曰受辭指蹤在於卧內○杜佑曰若不親撫重以祿賞則反爲敵用洩我情實○梅堯臣曰入幄受詞最爲親近○王晳曰以腹心親結之○張預曰三軍之士然皆親撫獨於間者以腹心相委是最爲親密也

賞莫厚於間

杜佑曰以重賞賞之

而賴其用○梅堯臣曰爵禄金帛我無愛焉○王晳曰軍功之賞莫厚於此○張預曰非高爵厚利不能使間陳平曰願出黃金四十萬斤間楚君臣

事莫密於間

杜牧曰出口入耳也密一作審○杜佑曰間事不密則爲己害○梅堯臣曰幾事不密則害成○王晳曰獨將與謀○張預曰惟將與間得聞其事非密與

非聖智不能用間

杜牧曰先量間者之性誠實多智然後可用之厚貌深情險於山川非聖人莫能知○梅堯臣曰知其情僞辨其邪正則能用○王晳曰聖通而先識智明於事○張預曰聖則事無不通智則洞照幾先然後能爲間事或曰聖智則能知人

非仁義不能使間

陳皡曰仁者有恩以及人義者得宜而制事主將者既能仁結而義使則間者盡心而覘察樂爲我用也○孟氏曰太公曰仁義著則賢者歸之賢者歸之則其間可用也○梅堯臣曰撫之以仁示之以義則能使○王晳曰仁結其心義激其節仁義使人有何不可○張預曰仁則不愛爵賞義則果決無疑既啗以厚利又待以至誠則間者竭力

非微妙不

能得間之實

杜牧曰間亦有利於財寶不得敵之實情但將虛辭以赴我約此須用心淵妙乃能酌其情僞虛實也○杜佑曰用意密而不漏○梅堯臣曰防間反爲敵所使思慮故宜幾微臻妙○王晳曰謂間者必性識微妙乃能得所間之事實○張預曰間以利害來告須用心淵微精妙乃能察其真僞

微哉微哉無所不用間也

杜牧曰言每事皆須先知也○梅堯臣曰微之又微則何所不知○王晳曰丁寧之當事事知敵之情也○張預曰密之又密則事無巨細皆先知也

間事未發而先聞者間與所告者皆死

杜牧曰告者非誘間者則不得知間者之情殺之可也○陳皡曰間者未發其事有人來告其聞者所告者亦與間者俱殺以滅口無令敵人知之○梅堯臣曰殺間者惡其泄殺告者滅其言○何氏曰兵謀大事泄者當誅告人亦殺恐傳諸衆○張預曰間敵之事謀定而未發忽有聞者來告必與間俱殺之一惡其泄一滅其口秦已間趙不用廉頗秦乃以白起爲將令軍中曰有泄武安君將者

斬此是已發其事尚不欲泄況未發乎凡軍之所欲擊城之所欲攻人
之所欲殺必先知其守將左右謁者門者舍
人之姓名令吾間必索知之李筌曰知其姓名則易取也○杜牧曰凡欲攻
戰先須知敵所用之人賢愚巧拙則量材以應之漢王遣韓信曹參
灌嬰擊魏豹問曰魏大將誰也對曰柏直漢王曰是口尚乳臭不能
當韓信騎將誰也曰馮敬曰是秦將馮無擇子也雖賢不能當灌嬰
步卒將誰也曰項它曰是不能當曹參吾無患矣○陳皞曰此言敵
人左右姓名必須我先知之或敵使間來我當使間去若不知其左
右姓名則不能成間者之說漢高伐秦至嶢關張良曰吾聞其將賈
豎爾可以利啗之又曰其將雖曰欲和其軍士未肯不如因其懈而
擊之乃進兵擊破之又宋華元夜登子反之床以告宋病若非素知
門人舍人左右姓名先使間導之又何由得登其床也○杜佑曰守
謂官守職任者謁告也主告事者也門者守門者也舍人守舍之人

也必先知之爲親舊有急則呼之則不可不知亦因此知敵之情○
梅堯臣曰凡敵之左右前後之姓名皆須審省而令吾間先知則吾
間可行矣○王晳曰不可臨事求也○張預曰守將守官任職之將
也謁者典賔客之官也門者閽吏也舍人守舍之人也凡欲擊其軍
欲攻其城欲殺其人必先知此左右之姓名則可也欲潛入其軍則
呼其姓名而往若華元夜登子反之床以告宋病杜元凱註引此文
謂元用此術得以自通是也又漢高祖入韓信卧內取其印亦近之必索敵人之間來間
我者因而利之導而舍之杜佑曰舍居止也令吾人遺以重利復遇而舍之則可令
誑其辭故反間可得而用也曹操曰舍居止也○杜牧曰敵間之來必誘以厚利而止舍之
使爲我反間也○杜佑曰故能取敵之間而用之○梅堯臣曰必探
索知敵之來間者因而利誘之引而舍止之然後可爲我反間也○
王晳曰此留敵間以詢其情者也必謹舍之曲爲辯說深致情愛然
後啗以大利咸以大刑自非至忠於其君王者皆爲我用矣○張預

曰索求也求敵間之來窺我者因以厚利誘導而館舍之使反爲我間也言舍之者謂稽留其使也淹延既久論事必多我因得察敵之情下文言四間皆因反間而知非久留其人極論其事則何以悉知

因是而知之故鄉間內間可得而使也

杜牧曰若敵間以利導之尚可使爲我反間因此乃知厚利亦可使鄉間內間也此言使間非利不可故上文云相守數年爭一日之勝而愛爵祿百金不知敵情者不仁之至也下文皆同其義也○陳皥曰此說疎也言敵使間來以利啗之誘令止舍因得敵之情因間內間可使反間誘而使之○杜佑曰因反敵間而知敵情鄉間者皆可得使○梅堯臣曰其國人之可使者其官人之可用者皆因反間而知之○張預曰因是反間知彼鄉人之貪利者官人之有隙者誘而使之

因是而知之故死間爲誑事可使告敵

張預曰因是反間知彼可誑之事使死間往告之

因是而知之故生間可使如期

杜牧曰可使往來如期○陳皥曰言五間皆循環相因惟生間可使如期○杜佑曰因誑事而知敵情生間往返可使知其敵之腹心所在○梅堯臣曰令吾間以誑告敵者須因反間而知敵之可誑也生間以利害覘敵情須因反間而知其疎密則可往得實而歸如期也○張預曰因是反間知彼之情故生間可往復如期也

五間之事主必知之

李筌曰孫子殷勤於五間主切知之

知之必在於反間故反間不可不厚也

杜牧曰鄉間內間死間生間四間者皆因反間知敵情而能用之故反間最切不可不厚也○杜佑曰人主當知五間之用厚其祿豐其財而反間者又五間之本事之要也故當在厚待○梅堯臣曰五間之始皆因緣於反間故當厚遇之○張預曰人主當用五間以知敵情然五間皆因反間而用則是反間者豈可不厚待之耶

昔殷之興也伊摯在夏

曹操曰伊摯伊尹也

周之興也呂牙在殷

曹操曰呂牙太公也○梅堯臣曰伊尹呂牙非叛於國也夏不能任

而殷任之殷不能用而周用之其成大功者爲民也○何氏曰伊呂聖人之耦豈爲人間哉今孫子引之者言五間之用須上智之人如伊呂之才智者可以用間蓋重之之辭耳○張預曰伊尹夏臣也後歸于殷呂望殷臣也後歸于周伊呂相湯武以兵定天下者順乎天而應乎人也非同伯州犁之奔楚苗賁皇之適晉狐庸之在吳士會之居秦也

故惟明君賢將能以上智爲間者必成大功此兵之要三軍之所恃而動也

李筌曰孫子論兵始于計而終於間者蓋不以攻爲主爲將者可不慎之哉○杜牧曰不知敵情軍不可動知敵之情非間不可故曰三軍所恃而動李靖曰夫戰之取勝此豈求於天地在乎因人以成之歷觀古人之用間其妙非一即有間其君者有間其親者有間其賢者有間其能者有間其助者有間其鄰好者有間其左右者有間其縱橫者故子貢史廖陳軫蘇秦張儀范雎等皆憑此而成功也且間之道有五焉有因其邑人使潛伺察而致辭焉有因其仕子故洩虛假令告示焉有因敵之使矯其事而返之焉有審擇賢能使覘彼向背虛實而歸說之焉有佯緩罪戾微漏我僞情浮計使亡報之焉凡此五間皆須隱祕重之以賞密之又密始可行焉若敵有寵嬖任以腹心者我當使間遺其珍玩恣其所欲順而旁誘之敵有重臣失勢不滿其志者我則啗以厚利詭相親附採其情實而致之敵有親貴左右多辭誇誕好論利害者我則使間曲情尊奉厚遺珍寶端其所間而反間之敵若使聘於我我則稽留其使令人與之共處矯致慇懃僞相親暱朝夕慰諭倍供珍味觀其辭色而察之仍朝夕令使獨與己伴居我遣聽耳者潛於複壁中聽之使既遲違恐彼怪責必是竊論心事我知事計遣使用之且夫用間間人人亦用間以間己己以密往人以密來理須獨察於心參會於事則不失矣若敵人來欲候我虛實察我動靜覘知事計而行其間者我當佯爲不覺舍止而善飯之微以我僞言誑事示以前却期會則我之所須爲彼之所失者因其有間而反間之彼若將我虛以爲實我即乘之而得志矣夫水所以能濟舟亦有因水而覆沒者間所以能成功亦有憑間而傾敗者若束髮事主當朝正色忠以盡節信以竭誠不詭伏以自容不權宜以爲利雖有善間其

可用乎○陳皞曰晉伯州犁奔楚楚苗賁皇奔晉及晉楚合戰於鄢陵苗賁皇在晉侯之側伯州犁侍于楚王二人各言舊國長短之情然則晉所以勝楚者楚所以敗者其故何也二子則有優劣也是知用間之道間敵之情得不慎擇其人深究其説也故上文云非聖智莫能用間者夫聖智知人人即附之賢者受知則勠力爲效非聖非智必猜必忌公道不啓仁義不施則義士賢人因而銜憤此將上天不祐幽有鬼神設無人事之變恐有陰誅之禍豈上智之士爲其用哉故上文云非仁義莫能使間然則湯武之聖伊呂宜用伊呂獲用事宜必濟聖賢一會交泰時乘道合乾坤功格寰宇當其耕夫於畎畝釣叟於渭濱知我者誰能無念也○賈林曰軍無五間如人之無耳目也○王晳曰未知敵情者不可動也○張預曰用師之本在知敵情故曰此兵之要也未知敵情則軍不可舉故曰三軍所恃而動也然處十三篇之末者蓋用非兵之常也若計戰攻形勢虚實之類兵動則用之至於火攻與間則有時而爲耳

十一家註孫子卷下

孫子本傳

孫子武者齊人也以兵法見於吳王闔閭闔閭曰子之十三篇吾盡觀之矣可以小試勒兵乎對曰可闔閭曰可試以婦人乎曰可於是許之出宮中美人得百八十人孫子分爲二隊以王之寵姬二人各爲隊長皆令持戟令之曰汝知而心與左右手背乎婦人曰知之孫子曰前則視心左視左手右視右手後即視背婦人曰諾約束既布乃設鈇鉞即三令五申之於是鼓之右婦人大笑孫子曰約束不明申令不熟將之罪也復三令五申而鼓之左婦人復大笑孫子曰約束不明申令不熟將之罪也既已明而不如法

者吏士之罪也乃欲斬左右隊長吳王從臺上觀見且斬愛姬大駭趣使使下令曰寡人已知將軍能用兵矣寡人非此二姬食不甘味願勿斬也孫子曰臣既已受命爲將將在軍君命有所不受遂斬隊長二人以徇用其次爲隊長於是復鼓之婦人左右前後跪起皆中規矩繩墨無敢出聲於是孫子使使報王曰兵既整齊王可試下觀之唯王所欲用之雖赴水火猶可也吳王曰將軍罷休就舍寡人不願下觀孫子曰王徒好其言不能用其實於是闔閭知孫子能用兵卒以爲將西破彊楚入郢北威齊晋顯名諸侯孫子與有力焉孫武既死越絕書曰吳縣巫門外大冢孫武冢也去縣十里

[illegible]

後百餘歲有孫臏臏生阿鄄之間臏亦孫武之後世子孫也孫臏嘗與龐涓俱學兵法龐涓既事魏得爲惠王將軍而自以爲能不及孫臏乃陰使召孫臏臏至龐涓恐其賢於己疾之則以法刑斷其兩足而黥之欲隱勿見齊使者如梁孫臏以刑徒陰見說齊使齊使以爲奇竊載與之齊齊將田忌善而客待之忌數與齊公子馳逐重射孫子見其馬足不甚相遠馬有上中下輩於是孫子謂田忌曰君弟重射臣能令君勝田忌信然之與王及諸公子逐射千金及臨質孫子曰今以君之下駟與彼上駟取君上駟與彼中駟取君中駟與彼下駟既馳三輩畢而田忌一不勝

而再勝卒得王千金於是忌進孫子於威王威王問兵法遂以爲師其後魏伐趙趙急請救於齊齊威王欲將孫臏臏辭謝曰刑餘之人不可於是乃以田忌爲將而孫子爲師居輜車中坐爲計謀田忌欲引兵之趙孫子曰夫解雜亂紛糾者不控捲救鬬者不搏撠批亢擣虛形格勢禁則自爲解耳今梁趙相攻輕兵銳卒必竭於外老弱罷於內君不若引兵疾走大梁據其街路衝其方虛彼必釋趙而自救是我一舉解趙之圍而收弊於魏也田忌從之魏果去邯鄲與齊戰於桂陵大破梁軍後十五年魏與趙攻韓韓告急於齊齊使田忌將而往直走大梁魏將龐涓聞之

去韓而歸齊軍既已過而西矣孫子謂田忌曰彼三晉之兵素悍勇輕齊齊號爲怯善戰者因其勢而利導之兵法百里而趨利者蹶上將魏武帝曰蹶猶挫也五十里而趨利者軍半至使齊軍入魏地爲十萬竈明日爲五萬竈又明日爲二萬竈龐涓行三日大喜曰我固知齊軍怯入吾地三日士卒亡者過半矣乃棄其步軍與其輕銳倍日并行逐之孫子度其行暮當至馬陵馬陵道狹而旁多阻隘可伏兵乃斫大樹白而書之曰龐涓死于此樹之下於是令齊軍善射者萬弩夾道而伏期日暮見火舉而俱發龐涓果夜至斫木下見白書乃鑽火燭之讀其書未畢齊軍萬弩俱發魏軍大亂相失龐涓自知智窮兵敗乃自剄曰遂成豎子之名齊因乘勝盡破其軍虜魏太子申以歸孫臏以此名顯天下世傳其兵法

十家註孫子遺說并序

滎陽鄭友賢撰

求之而益深者天下之備法也叩之而不窮者天下之能言也爲法立言至於益深不窮而後可以垂教於當時而傳諸後世矣儒家者流惟苦易之爲書其道深遠而不可窮學兵之士嘗患武之爲說微妙而不可究則亦儒者之易乎蓋易之爲言也兼三才備萬物以陰陽不測爲神是以仁者見之謂之仁智者

見之謂之智百姓日用而不知武之爲法也包四種
籠百家以奇正相生爲變是以謀者見之謂之謀巧
者見之謂之巧三軍由之而莫能知之迨夫九師百
氏之說興而益見大易之義如日月星辰之神徒推
步其輝光之迹而不能考其所以爲神之深十家之
註出而愈見十三篇之法如五聲五色之變惟詳其
耳目之所聞見而不能悉其所以爲變之妙是則武
之意不得謂盡於十家之註也然而學兵之徒非十
家之說亦不能窺武之藩籬尋流而之源由徑而入
户於武之法不可謂無功矣頃因餘暇撫武之微旨
而出於十家之不解者略有數十事託或者之問具

其應答之義名曰十註遺說學者見其說之有遺則
始信益深之法不窮之言庶幾大易不測之神矣

或問死生之地何以先存亡之道曰武意以兵事之
大在將得其人將能則兵勝而生兵生於外則國存
於內將不能則兵敗而死兵死於外則國亡於內是
外之生死繫內之存亡也是故兵敗長平而趙亡師
喪遼水而隋滅太公曰無智略大謀彊勇輕戰敗軍
散衆以危社稷王者慎勿使爲將此其先後之次也
故曰知兵之將生民之司命國家安危之主也

或問得筭之多得筭之少況於無筭何以是多少無
之義曰武之文固不汗漫而無據也蓋經之以五事

校之以七計彼我之算盡於此矣五事之經得三四者爲多得一二者爲少七計之校得四五者爲多得二三者爲少五七俱得者爲全勝不得者爲無算所謂冥冥而決事先戰而求勝圖乾沒之利出浪戰之師者也

或問計利之外所佐者何勢曰兵法之傳有常而其用之也有變常者法也變者勢也書者可以盡常之言而言不能盡變之意五事七計者常法之利也詭道不可先傳者權勢之變也守常而求勝如膠柱鼓瑟以書御馬趙括所以能書而不能戰易言而不知變也蓋法在書之傳而勢在人之用武之意初求用於吳恐吳王得書聽計而棄已也故以此辭動之乃

謂書之外尚有因利制權之勢在我能用耳

或問因糧於敵者無遠輸之費也取用必於國者何也曰兵械之用不可假人亦不可假於人器之於人固在積習便熟而適其短長重輕之宜與夫手足不相鉏鋙而後可以濟用而害敵矣吾之器敵不便於用敵之器吾不習其利非國中自備而習慣於三軍則安可一旦倉卒假人之兵而給已之用哉易曰萃除戎器以戒不虞太公曰慮不先設器械不備此皆言取用於國不可因於人也

或問兵以伐謀爲上者以其有屈人之易而無血刃

之難伐兵攻城爲之次下明矣伐交之智何異於伐謀之工而又次之曰破謀者不費而勝破交者未勝而費帷幄樽俎之間而揣摩折衝心戰計勝其未形已成之策不煩毫釐之費而彼奔北降服之不暇者伐謀之義也或遣使介約車乘聘幣之奉或使間諜出土地金玉之資張儀散六國之從陰厚者數年尉繚子破諸侯之援出金三十萬如此之類費已廣而敵未服非加以征伐之勞則未見全勝之功宜乎次於晏嬰子房寇恂荀彧之智也

或問武之書皆法也獨曰此謀攻之法也此軍爭之法也曰餘法槩論兵家之術惟二篇之説及於用誠其易用而稱其所難夫告人以所難而不濟之以成法則不足爲完書蓋謀攻之法以全爲上以破次之得其法則兵不鈍而利可全非其法則有殺士三分之災軍爭之法以迂爲直以患爲利得其法則後發而先至非其法則至於擒三將軍此二者豈用兵之易哉乃云必以全爭於天下又云莫難於軍爭難之之辭也欲濟其所難者必詳其法凡所謂屈人非戰拔城非攻毀國非久者乃謀攻之法也凡所謂十一而至先知迂直之計者乃軍爭之法也見其法而知其難於餘篇矣

或問將能而君不御者勝後魏太武命將出師從命

者無不制勝違教者率多敗失齊神武任用將帥出討奉行方略罔不克捷違失指教多致奔亡二者不幾於御之而後勝哉曰知此而後可以起武之意既曰將能而君不御者勝則其意固謂將不能而君御之則勝也夫將帥之列才不一槩智愚勇怯隨器而任能者付之以閫寄不能者授之以成筭亦猶後世責曹公使諸將以新書從事殊不識公之御將因其才之小大而縱抑之張遼樂進守關之偏才也合淝之戰封以函書節宣其用夏侯惇兄弟有大帥之略假以節度便宜從事不拘科制何嘗一槩而御之邪傳曰將能而君御之則爲縻軍將不能而君委之則爲覆軍惟公得武法之深而後太武神武庶幾公之英略耳非司馬宣王安能發武之蘊哉

或問勝可知而不可爲者以其在彼者也佚而勞之親而離之佚與親在敵而吾能勞且離之豈非可爲歟曰傳稱用師觀釁而動敵有釁不可失蓋吾觀敵人無可乘之釁不能彊使爲吾可勝之資者不可爲之義也敵人既有可乘之隙吾能置術於其間而不失敵之敗者可知之義也使敵人主明而賢將智而忠不信小說而疑不見小利而動其佚也安能勞之其親也安能離之有楚子之暗與囊瓦之貪而後吳人亟肆以疲之有項王之暴與范增之隘而後陳平

以反間踈之夫釁隙之端隱於佚親之前勞離之策發於釁隙之後者乃所謂可知也則惟無釁隙者乃不可爲也

或問守則不足攻則有餘其義安在曰謂吾所以守者力不足吾所以攻者力有餘者曹公也謂力不足者可以守力有餘者可以攻者李筌也謂非彊弱爲辭者衛公也謂守之法要在示敵以不足攻之法要在示敵以有餘者太宗也夫攻守之法固非已實彊弱亦非虛形視敵也蓋正用其有餘不足之形勢以固己勝敵夫所謂不足者吾隱形於微而敵不能窺也有餘者吾乘勢於盛而敵不能支也不足者微之稱也當吾之守也滅跡於不可見韜聲於不可聞藏形於微妙不足之際而使敵不知其所攻矣所謂藏於九地之下者是也有餘者盛之稱也當吾之攻也若迅雷驚電壞山決塘作勢於盛彊有餘之極而使敵不知其所守矣所謂動於九天之上者是也此有餘不足之義也

或問三軍之衆可使必受敵而無敗者奇正是也受敵無敗二義也其於奇正有所主乎曰武論分數形名奇正虛實四者獨於奇正云云者知其法之深而二義所主未白也復曰凡戰以正合以奇勝正合者正主於受敵也奇勝者奇主於無敗也以合爲受敵

以勝爲無敗不其明哉

或問武論奇正之變二者相依而生何獨曰善出奇者曰闕文也凡所謂如天地江河日月四時五色五味皆取無窮無竭相生相變之義故首論以正合奇勝終之以奇正之變不可勝窮相生如循環之無端豈以一奇而能生變交相無已哉宜曰善出奇正者無窮如天地也

或問其勢險者其義易明其節短者其旨安在曰力雖甚勁者非節量短近而適其宜則不能害物魯縞之脆也彊弩之末不能穿毫末之輕也衝風之衰不能起鷙鳥雖疾也高下而遠來至於竭羽翼之力安能擊搏而毀折哉嘗以遠形爲難戰者此也是故麴義破公孫瓚也發伏於數十步之內周訪敗杜曾也奔赴於三十步之外得節短之義也

或問十三篇之法各本於篇名乎曰其義各主於題篇之名未嘗泛濫而爲言也如虛實者一篇之義首尾次序皆不離虛實之用但文辭差異耳其意所主非實即虛非虛即實非我實而彼虛則我虛而彼實不然則虛實在於彼此而善者變實而爲虛變虛而爲實也雖周流萬變而其要不出此二端而已凡所謂待敵者佚者力實也趨戰者勞者力虛也致人者虛在彼也不致於人者實在我也利之也者役彼於

蓋古文不[illegible]

韓子[illegible]

[illegible]

虛也害之也者養我之實也佚能勞之飽能飢之安能動之者佚飽安實也勞飢動虛也彼實而我能虛之也行於無人之地者趨彼之虛而資我之實也攻其所不守者避實而擊虛也守其所不攻者措實而備虛也敵不知所守者鬬敵之虛也敵不知所攻者犯我之實也無形無聲者虛實之極而入神微也不可禦者乘敵備之虛也不可追者奮我力之實也攻所必救者乘虛則實者虛也乖其所之者能實則虛者實也形人而敵分者見彼虛實之審也無形而我專者示吾虛實之妙也所與戰約者彼虛無以當吾之實也寡而備人者不識虛實之形也衆而備己者能料虛實之情也千里會戰者預見虛實也左右不能救者信人之虛實也越人無益於勝敗者越將不識兵之虛實也策之候之形之角之者辨虛實之術也得也動也生也有餘也者實也失也靜也死也不足也者虛也不能窺謀者外以虛實之變惑敵人也莫知吾制勝之形者內以虛實之法愚士衆也水因地制流兵因敵制勝者以水之高下喻吾虛實變化不常之神也五行勝者實也囚者虛也四時來者實也往者虛也日長者實也短者虛也月生者實也死者虛也皆虛實之類不可拘也以此推之餘十二篇之義皆做於此但說者不能詳之耳

或問軍爭爲利衆爭爲危軍之與衆也利之與危也義果異乎曰武之辭未嘗妄發而無謂也軍爭爲利者下所謂軍爭之法也夫惟所爭而得此軍爭之法然後獲勝敵之利矣衆爭爲危者下所謂舉軍而爭利也夫惟全舉三軍之衆而爭則不及於利而反受其危矣蓋軍爭者案法而爭也衆爭者舉軍而趨也爲利者後發而先至也爲危者擒三將軍也

或問兵以詐立以利動以分合爲變立也動也變也三者先後而用乎曰兵王之道兵家者流所用皆有本末先後之次而所尚不同耳蓋先王之道尚仁義而濟之以權兵家者流貴詐利而終之以變司馬法

以仁爲本孫武以詐立司馬法以義治之孫武以利動司馬法以正不獲意則權孫武以分合爲變蓋本仁者治必爲義立詐者動必爲利在聖人謂之權在兵家名曰變非本與立無以自修非治與動無以趨時非權與變無以勝敵有本立而後能治動能治動而後可以權變權變所以濟治動治動所以輔本立此本末先後之次略同耳

或問武所論舉軍動衆皆法也獨稱此用衆之法者何也曰武之法奇正貴乎相生節制權變兩用而無窮既以正兵節制自治其軍未嘗不以奇兵權變而勝敵其於論勢也以分數形名居前者自治之節制

也以奇正虛實居後者勝敵之權變也是先節制而後權變也凡所謂立於不敗之地而不失敵之敗修道而保法自保而全勝者皆相生兩用先後之術也蓋鼓鐸旌旗所以一人之耳目人既專一勇者不得獨進怯者不得獨退此何法也是節制自治之正法也止能用吾三軍之衆而已其法也固未嘗及於勝人之奇也談兵之流往往至此而止矣武則不然曰此用吾衆之法也凡所謂變人之耳目而奪敵之心氣是權謀勝敵之奇法也

或問奪氣者必曰三軍奪心者必曰將軍何也曰三軍主於鬬將軍主於謀鬬者乘於氣謀者運於心夫

鼓作鬬爭不顧萬死者氣使之也深思遠慮以應萬變者心主之也氣奪則怯於鬬心奪則亂於謀下者不能鬬上者不能謀敵人上下怯亂則吾一舉而乘之矣傳曰一鼓作氣三而竭者奪鬬氣也先人有奪人之心者奪謀心也三軍將軍之事異矣

或問自計及間上下之法皆要妙也獨云此用兵之法妙者何也曰夫事至於可疑而後知不疑者爲明機至於難決而後知能決者爲智用兵之法出於衆人之所不可必者而吾之明智了然不至於猶豫者其所得固過於衆人而適於法之至妙也所謂高陵勿向背丘勿逆蓋亦有可向可逆之機佯北勿從銳

卒勿攻亦有可從可攻之利餌兵勿食歸兵勿遏亦有可食可遏之理圍師必闕窮寇勿追亦有不闕可追之勝此兵家常法之外尚有反復微妙之術智者不疑而能決所謂用兵之法妙也

或問九變之法所陳五事者何曰九變者九地之變也散輕爭交衢重圮圍死此九地之名也一其志使之屬趨其後謹其守固其結繼其食進其塗塞其闕示不活此九地之變也九而言五者闕而失次也下文曰將通於九變之地利者知用兵矣將不通九變之利者雖知地形不能得地之利矣是九變主於九地明矣故特於九地篇曰九地之變人情之理不可

不察也然則既有九地何用九變之文乎曰武所論將不通九變之利又曰治兵不知九變之術蓋九地者陳變之利故曰不知變不得地之利九變者言術之用故曰不知術不得人之用是故六地有形九地有名九名有變九變有術知形而不知名決事於冥冥知名而不知變驅衆而浪戰知變而不知術臨用而事屈此所以六地九地九變皆論地利而爲篇異也李筌以塗有所不由而下五利兼之爲十變者誤也復指下文爲五利何嘗有五利之義也絶地無留當作輕地蓋輕有無止之辭

或問凡軍好高而惡下太公曰凡三軍處山之高則

爲敵所棲豈好高之義乎曰武之高非太公之高也公所論天下之絕險也高山盤石其上亭亭無有草木四面受敵蓋無草木則乏芻牧樵採之利四面受敵則絕出入運饋之路可上而不可下可死而不可久此固有棲之之害也武之所論假勢利之便也處隆高丘陵之地使敵人來戰則有登隆向陵逆丘之害而我得因高乘下建瓴走丸轉石決水之勢加以養生處實先利糧道戰則有乘勢之便守則有處實之固居則有養生足食之利去則有便道向生之路雖有百萬之敵安能棲我於高哉太武棲姚興於天渡李先計令遣奇兵邀伏絕柴壁之糧道此與犯處

高之忌而先得棲敵之法明矣學孫武者深明好高之論而不悟處於太公之絕險知其勢利之便者後可與議其書矣

或問六地者地形也復論將有六敗者何曰恐後世學兵者泥勝負之理於地形也故曰地形者兵之助非上將之道也太公論主帥之道擇善地利者三人而委之則地形固非將軍之事也所謂料敵制勝者上將之道也知此爲將之道者戰則必勝不知此爲將之道者戰則必敗凡所言曰走曰弛曰崩曰陷曰亂曰北者此六者敗之道將之至任不可不察也是勝敗之理不可泥於地形而繫於將之工拙也至於

九地亦然曰剛柔皆得地之理也將軍之事靜以幽正以治驅三軍之衆如羣羊往來不知其所之者將軍之事也特垂誡於六地九地者孫武之深旨也

或問死焉不得士人盡力諸家釋爲二句者何曰夫人之情就其甚難者不顧其甚易者捨其至大者不吝其至微死難於生也甘其萬死之難則況出於生之甚易者哉身大於力也棄其一身之大則況用於力之至微者哉武意以謂三軍之士投之無所往則白刃在前有所不避也死且不避況於生乎身猶不慮況於力乎故曰死且不北夫三軍之士不畏死之難者安得不人人盡其力乎死焉不得士人盡力諸家斷爲二句者非武之本意也

或曰方馬埋輪諸家釋方爲縛或謂縛馬爲方陣者何也曰解方爲縛者義不經據縛而方之者非武本辭蓋方當作放字武之說本乎人心離散則雖彊爲固止而不足恃也固止之法莫過於柅其所行古者用兵人乘車而戰車駕馬而行今欲使人固止而不散不得齊勇之政雖放去其馬而牧之陷輪於地而埋之亦不足恃之爲不散也噫車中之士轅不得馬而駕輪不得轍而馳尚且奔走散亂而不一則固在以政而齊其心也

或問兵情主速又曰爲兵之事夫情與事義果異乎

曰不可探測而蘊于中者情也見於施爲而成乎其外者事也情隱於事之前而事顯於情之後此用兵之法隱顯先後之不同也所謂兵之情主速者蓋吾之所由所攻欲出於敵人之不虞不誡也夫以神速之兵出於人之所不能虞度而誡備者固在中情秘密而不露雖智者深間不能前謀先窺也所謂爲兵之事者蓋敵意旣順而可詳敵釁已形而可乘一向并敵之勢千里殺敵之將使陳不暇戰而城不及守者彼敗事已顯而吾兵業已成於外也故曰所謂巧能成事者此也是則情事之異隱顯先後也

或曰九地之中復有絶地者何也曰興師動衆去吾

之國中越吾之境上而初入敵人之地壃場之限所過關梁津要使吾踵軍在後告畢書絶者所以禁人内顧之情而止其還遁之心也司馬法曰書親絶是謂絶顧壹慮尉繚子踵軍令曰遇有還者誅之此絶地之謂也然而不預九地者何九地之法皆有變而絶地無變故論於九地之中而不得列其數也或以越境爲越人之國如秦越晉伐鄭者鑿也

或問不知諸侯之謀不能預交不知山林險阻沮澤之形不能行軍不用鄉導不能得地利重言於軍爭九地二篇者何也曰此三法者皆行師爭利出没往來遲速先後之術也蓋軍爭之法方變迂爲直後發

先至之爲急也九地之利盛言爲客深入利害之爲大也非此三法安能舉哉噫與人爭迂直之變趨險阻之地踐敵人之生地求不識之迷途若非和鄰國之援爲之引軍明山川林麓險難阻阨沮洳濡澤之形而爲之標表求鄉人之習熟者爲之前導則動而必迷舉而必窮何異即鹿無虞惟入于林不行其野彊違其馬欲爭迂直之勝圖深入之利安能得其便乎稱之二篇不其旨哉

或問何謂無法之賞無政之令曰治軍御衆行賞之法施令之政蓋有常理令欲犯三軍之衆使不知其利害多方悞敵而因利制權故賞不可以拘常法令不可以執常政噫常法之賞不足以愚衆常政之令不足以惑人則賞有時而不拘令有時而不執者將軍之權也夫進有重賞有功必賞賞法之常也吳子相敵北者有賞馬隆募士未戰先賞此無法之賞也先庚後甲三令五申政令之常也武曰若驅羣羊往來莫知所之李愬襲元濟初出衆請所向曰東六十里止至張柴諸將請所止復曰入蔡州此無政之令也

或問用間使間聖智仁義其旨安在曰用間者用間之道也或以事或以權不必人也聖者無所不通智者深思遠慮非此聖智之明安能坐以事權間敵哉

使間者使人爲間也吾之與間彼此有可疑之勢吾疑間有覆舟之禍間疑我有害己之計非仁恩不足以結間之心非義斷不足以決己之惑主無疑於客客無猜於主而後可以出入於萬死之地而圖功矣秦王使張儀相魏數年無效而陰厚之者恩結間之心也高祖使陳平用金數十萬離楚君臣平楚之亡虜也吾無問其出入者義決己之惑也

或問伊摯呂牙古之聖人也豈嘗爲商周之間邪武之所稱豈非尊間之術而重之哉曰古之人立大事就大業未嘗不守於正正不獲意則未嘗不假權以濟道夫事業至於用權則何所不爲哉但處之有道

而卒反于正則權無害於聖人之德也蓋盡在兵家名曰間在聖人謂之權湯不得伊摯不能悉夏政之惡伊摯不在夏不能成湯之美武不得呂牙不能審商王之罪呂牙不在商不能就武之德非此二人者不能立順天應人伐罪弔民之仁義則非爲間於夏商而何惟其處之有道而終歸于正故名曰權兵家之間流而不反不能合道而入于詭詐之域故名曰間所謂以上智成大功者眞伊呂之權也權與間實同而名異

或問間何以終于篇之末曰用兵之法惟間爲深微神妙而不可易言也所謂非聖智不能用間非微妙

不能得間之實者難之之辭也武始以十三篇干吳者亦欲以其書之法教闔閭之知兵也教人之初蒙昧之際要在從易而入難先明而後幽本末次序而導之使不惑也是故始教以計量校筭之法而次及於戰攻形勢虚實軍爭之術漸至於行軍九變地形地名火攻之備諸法皆通而後可以論間道之深矣噫教人之始者務令明白易曉而遠期之以聖智微妙之所難則求之愈勞而索之愈迷矣何異王通謂不可驟而語易者哉或曰廟堂多筭非不難也何不列之終篇也曰計之難者經之以五事校之以七計而索其情也夫敵人之情最爲難知不可取於鬼神不可求象於事不可驗於度先知者必在於間蓋計待情而後校情因間而後知宜乎以間爲深而以計爲淺也孫武之藴至於此而後知十家之説不能盡矣

孫子遺説篇終

